SUPERALIMENTOS
PARA EL EMBARAZO

SUPERALIMENTOS
PARA EL EMBARAZO

Deliciosos consejos para mejorar tu dieta

SUSANNAH MARRIOTT

Grijalbo

Para Berry y su jardín

Título original: *Superfoods for Pregnancy*

Publicado por primera vez en 2010 en Reino Unido por Carroll & Brown Publishers Limited.

© 2011, Carroll & Brown Limited
© 2011, Random House Mondadori, S.A., por la presente edición.
Travessera de Gràcia, 47-49. 08021 Barcelona
© 2011, Mercedes Vaquero Granados, por la traducción

Dirección de arte: Chrissie Lloyd
Realización de la edición: Emily Cook
Fotografías: Jules Selmes, David Murray
Asistente editorial: Idroma Montgomery

Fotocomposición: Compaginem

ISBN: 978-84 253-4634-7

Reproducido por Rali, España
Impreso y encuadernado en China

G R 4 6 3 4 7

Introducción 6

Supernutrientes 8

Las bondades del huerto 12

Brócoli 14

Repollo, col rizada y coles de Bruselas 15

Espinacas y acelgas 17

Especial: Plantar una maceta 18

Especial: Plantar una cesta colgante 19

Remolacha 21

Guisantes y tirabeques 23

Habas 24

Judías verdes 25

Espárragos 27

Calabaza 28

Patatas 29

Chirivías 31

Zanahorias 32

Jengibre 33

Grosellas negras y frambuesas 34

Lechuga 36

SUMARIO

Hojas de mostaza 37

Tomates 38

Especial: Para dar y tomar 40

*Especial: Cómo conservar
los tomates 41*

Ajo 42

Cebolletas y cebollinos 43

Limones 44

Fresas y arándanos 45

*Especial: Cómo hacer
jarabe de jengibre 47*

Fresco, silvestre y salvaje 49

Ortigas 50

Diente de león 51

Avellanas 52

Moras 53

**Peces de agua dulce
y peces de agua salada 55**

Pescado azul 56

Marisco 58

Algas marinas 60

**Productos
de granja 63**

Aves de corral 64

Carnes 66

Huevos 68

Leche, yogur y queso 70

*Especial: Cómo hacer
yogur en casa 72*

Recompensas del huerto 75

Manzanas 76

Albaricoques 77

Granadas 78

Higos 79

Nueces 80

Almendras 81

Aguacates 82

Aceitunas 83

Alimentos del jardín 85

Aguaturmas 86

Girasoles 87

Miel 88

Especial: Agua de lavanda 90

Lavanda 91

Alimentos para la despensa 93

Garbanzos 94

Lentejas 95

Avena 96

Arroz 97

Harina de trigo integral 99

*Especial: Cómo hacer masa
madre 100*

Recetas 103

Consejos para tu
seguridad 120

Índice 126

Agradecimientos 128

INTRODUCCIÓN

No hay mejor momento para preocuparse por los alimentos y su cultivo que el embarazo. Comer buenos productos de temporada te proporcionará casi todos los nutrientes que necesites para alimentar tu cuerpo, en proceso de cambio, y nutrir el de tu bebé, en proceso de crecimiento. Este libro se centra en la elección o cultivo de las mejores verduras, frutas y hierbas, y en el abastecimiento de carnes, pescado, productos lácteos y cereales integrales de excelente calidad. Tener una buena nutrición durante el embarazo será el resultado de comer a diario una amplia variedad de alimentos pertenecientes a estos grupos.

Cultivar algunos vegetales (entradas señaladas con el símbolo de una planta), aunque solo sean hierbas en una maceta en el alféizar de la ventana, satisface la necesidad instintiva de ofrecer a tu bebé la mejor alimentación posible. Un poco de jardinería también proporciona lo que el embarazo requiere: ejercicio suave y regular, mucha vitamina D procedente de la luz del sol para estimular la absorción del calcio, disponer de productos más frescos y la oportunidad de pasar un rato al aire libre. Cuidar un pequeño huerto también es una forma de expresarse y ser creativa que te ayudará a disfrutar más de tu casa, especialmente si sueles pasar muchas horas en el trabajo, pues conlleva la satisfacción de crear algo bello. No se necesita mucho espacio: puedes plantar veduras en macetas o jardineras, en el balcón o en el alféizar de la ventana, y también en vertical, trepando por las paredes o cayendo de cestas colgantes. Cultivar alimentos te hace echar raíces en el lugar donde vives y apreciar el clima, las tradiciones alimentarias, las variedades y las plantas tradicionales. Con el tiempo, podrás transmitir este conocimiento a tus hijos.

Por otro lado, con los productos de tu localidad disfrutarás de las delicias de cada temporada, como los primeros guisantes en primavera o las esperadas calabazas en otoño. Si cultivas las hortalizas en casa y compras los productos en las tiendas cercanas podrás degustar alimentos en el punto adecuado de maduración y conseguir cosechas más delicadas y variadas que no pueden hacer frente a viajes largos. Esto puede ser toda una revelación si siempre has hecho la compra en un supermercado: aprenderás a tener paciencia y confianza en los procesos de crecimiento y regeneración del mundo natural, que no es otra cosa que lo que sucede en tu interior. Comprar productos locales ayuda a proteger la cadena alimentaria y el medio ambiente para nuestros hijos, y a sostener la economía del vecindario: si comemos lo que produce la tierra a nuestro alrededor, salvaguardamos siglos de tradición, empleo y vistas preciosas para generaciones futuras. Tanto la horticultura como la maternidad nos animan a pensar en el futuro y también en el pasado. En este libro os animo a pensar también en los demás: involucra a tu familia, vecinos y amigos en tu propósito de comer mejor y, de este modo, alimentar a una extensa familia de agricultores.

Este símbolo indica que se ofrece información sobre un tipo de cultivo.

Las etapas del embarazo reflejan las estaciones y el ciclo de los cultivos del mundo natural, y el simple hecho de pensar en la época de siembra, de maduración y de cosecha te ayudará a adaptarte a los cambios de tu cuerpo. Estar en contacto con la naturaleza es fundamental para el bienestar físico y mental. Se sabe que estar en medio de la vegetación ayuda a superar períodos de ansiedad y de cambios, ya que ayuda a las personas a volver a equilibrar los cambios de humor y a recuperar el control.

Mi apetito aumentó durante mis embarazos, pero mi amor por la horticultura disminuyó; durante mi primer embarazo, el simple hecho de pisar el huerto me provocaba unas náuseas irreprimibles. Así que no cultives nada si no te apetece: puedes adquirir estos productos en un mercado agrícola o directamente en la granja, o hacer que te entreguen el pescado, la carne y las verduras de temporada en la puerta de tu casa. Tenemos todo el derecho del mundo a ser perezosas cuando nuestro cuerpo está trabajando tanto por dentro.

No obstante, aunque estés perezosa, aprovecha la oportunidad para transformar alguno de los deliciosos productos frescos que tengas a mano en alguno de los platos que se describen al final del libro. Las recetas se han elaborado pensando especialmente en sus beneficios nutricionales para el embarazo y después del parto, y también que los platos sean rápidos y sencillos. Estos son convenientes durante la fase de destete del bebé, y espero que te animen a sentarte en familia alrededor de la mesa a disfrutar del milagro de la vida en todas sus formas.

introducción

Alimentarse bien te ayuda a estar en forma y a tener energía durante el embarazo. Una dieta basada en pescado, carne magra, productos lácteos desnatados, aceites saludables, cereales integrales y mucha fruta, verdura y legumbres reduce el riesgo de tener un parto prematuro. Los nutrientes necesarios se absorben mejor con una dieta variada que tomando solo suplementos dietéticos. Los nutrientes esenciales sirven para mantener el cuerpo en buen funcionamiento, tus niveles de energía altos y las emociones en equilibrio, y garantizan que tu bebé tenga el mejor comienzo posible en la vida.

VITAMINAS INDISPENSABLES

VITAMINA A
Procede del retinol en los productos de origen animal y del betacaroteno en los alimentos de origen vegetal. Es fundamental para el crecimiento de las células durante el embarazo, especialmente en el primer y el último trimestre, cuando protege contra la mutación celular y ayuda al desarrollo de los ojos y los pulmones. La falta de esta vitamina aumenta el riesgo de infección. No obstante, tomar demasiado retinol puede dañar al feto (véase página 120).
Fuentes alimentarias: *leche, mantequilla, queso, huevos, pollo, pescado azul, judías, espárragos, brócoli, espinacas, calabaza, zanahorias, lechuga, hojas de diente de león, albaricoques.*

VITAMINAS DEL GRUPO B
Algunas son vitales para la producción de energía (B_1, tiamina; B_2, riboflavina, y B_3, niacina) y para el desarrollo del sistema nervioso, el cerebro, los glóbulos rojos y los músculos del bebé. Otras estimulan tu resistencia y regulan las hormonas del estrés (B_6, piridoxina, y B_{12}, cobalamina). Necesitarás más vitaminas B_1 y B_2 para mantener tus reservas de energía y la función muscular y nerviosa; y la B_2, además, para estimular la absorción de hierro.

Parece que aquellas mujeres con grandes cantidades de vitamina B_3 dan a luz a bebés más grandes. Al parecer, se relaciona una buena ingesta de vitamina B_6 con el hecho de tener menos náuseas durante la gestación. Si eres vegetariana o vegana, consulta con tu médico sobre la necesidad de tomar un suplemento de vitamina B_{12}, ya que una deficiencia de la misma en los niños está relacionada con problemas neuronales.
Fuentes alimentarias: *carne roja, almejas, pescado azul, algas marinas, huevos, leche, yogur, quesos curados, pollo, semillas de girasol, cereales integrales, almendras, plátanos, aguacates.*

DIETA DIARIA

Intenta ingerir las siguientes cantidades de alimentos a diario:

2-3 raciones de carne, pescado, frutos secos y legumbres
2-3 raciones de verduras de hoja
3 raciones de fruta y otras verduras
3 raciones de cereales integrales
3-4 raciones de productos lácteos

ÁCIDO FÓLICO
Se trata de la vitamina B fundamental durante el embarazo. En estos momentos necesitarás el doble de la cantidad normal, por lo que deberás tomar un suplemento diario de 400 µg de ácido fólico desde que empieces a pensar en quedarte embarazada hasta el final del primer trimestre, cuando se esté formando la médula espinal de tu bebé. La ingesta de ácido fólico reduce considerablemente el riesgo de que el bebé tenga algún defecto del tubo neural (como la espina bífida). El ácido fólico ayuda a la formación de los glóbulos rojos y el ADN. La falta de ácido fólico es la deficiencia vitamínica más común del mundo. Tal vez necesites una dosis más alta de ácido fólico (5 mg diarios) si tienes diabetes o tuviste problemas en el tubo neural en un embarazo anterior: consulta a tu médico.
Fuentes alimentarias: *espinacas, brócoli, guisantes, espárragos, lentejas, repollo, remolacha, judías, calabaza, chirivías, lechuga, hojas de mostaza, moras, granadas, aguacates, garbanzos, lentejas, cereales integrales, huevos, papayas, plátanos.*

VITAMINA C
Esta vitamina es buena para la producción de tejido nuevo, para fortalecer el sistema inmunológico y para ayudar a la absorción del

hierro. Una buena ingesta de esta vitamina puede ayudar a prevenir el sangrado de las encías, reducir las náuseas del embarazo y el riesgo de preeclampsia. En un estudio de la Universidad de Carolina del Norte, la falta de vitamina C parecía incrementar el riesgo de sufrir un parto prematuro. Para potenciar al máximo su absorción, cocina con aceite de oliva.

Fuentes alimentarias: *grosella negra, kiwi, guayaba, melón, naranjas, papaya, pimiento rojo, fresas, moras, frambuesas, coles de Bruselas, calabaza, col rizada, espárragos, boniato, guisantes, chucrut.*

VITAMINA D

Esta vitamina es fundamental para el desarrollo de los dientes y huesos de tu bebé y para mantener los tuyos en perfecto estado. La mayor parte de la vitamina D se obtiene de la luz del sol (si puedes, expón tu piel al sol durante 15-20 minutos al día), pero toma un suplemento diario de 10 µg, especialmente si tienes la piel oscura, o no pasar demasiado tiempo al aire libre.

Fuentes alimentarias: *pescado azul, carne roja, yema de huevo, leche, mantequilla.*

VITAMINA K

Se trata de una vitamina fundamental para tener los huesos fuertes ya que es la responsable de atrapar el calcio en los huesos; es probable que también alivie las náuseas propias del embarazo. La vitamina K interviene en la coagulación de la sangre, impidiendo las pérdidas de sangre excesivas, por lo que una buena dieta puede servir de ayuda durante el período previo al parto. Se suele poner una

inyección de vitamina K a los recién nacidos para prevenir hemorragias.

Fuentes alimentarias: *col rizada, espinacas, hojas de mostaza, coles de Bruselas, brócoli, hojas de diente de león, lechuga, espárragos.*

MINERALES INDISPENSABLES

CALCIO

Además de construir los dientes y huesos del bebé, el calcio ayuda al desarrollo de los nervios y los músculos. Muchas de nosotras tenemos una deficiencia de calcio (la mayoría de las mujeres solo obtienen tres cuartas partes de lo que necesitan), y si tu bebé no recibe el suficiente calcio de tu dieta, lo «tomará prestado» de tus huesos, lo que incrementará el riesgo de que padezcas osteoporosis a una edad más avanzada. Se ha relacionado una dieta baja en calcio con un mayor riesgo de padecer preeclampsia, así como con los calambres musculares. Una ingesta adecuada de calcio puede reducir el riesgo de tener un parto prematuro y de padecer hipertensión relacionada con el embarazo.

El calcio protege especialmente los huesos cuando se combina con las vitaminas C y K y con el magnesio (que se encuentran en las espinacas),

y con la vitamina D (que se obtiene tomando el sol durante 15 o 20 minutos al día). Si no comes productos lácteos o eres adolescente, consulta a tu médico acerca de los suplementos de calcio.

Fuentes alimentarias: *yogur, queso, leche, pescados pequeños con espina comestible, almendras, semillas de sésamo, brócoli, guisantes, judías, col rizada, hojas de diente de león, repollo, espinacas, hojas de remolacha.*

HIERRO

Es bastante habitual comenzar el embarazo con una deficiencia de este mineral tan importante, que ayuda al desarrollo de los músculos, es fundamental para la producción de los glóbulos rojos y previene la anemia. Tener una buena cantidad de hierro ayudará a prevenir un parto prematuro y a que tu bebé nazca con más peso. Si eres adolescente, has tenido varios embarazos seguidos o estás planeando el parto en casa, consulta a tu médico sobre el consumo de un suplemento de hierro.

La vitamina C ayuda a la absorción del hierro, mientras que el té y el café la dificultan, así que acompaña las comidas con fruta o zumo de frutas.

Fuentes alimentarias: *carne roja, carne de ave (las de carne más oscura), pescados pequeños con espina comestible, marisco, repollo, ortigas, brócoli, espinacas, remolacha, guisantes, judías, espárragos, cereales integrales, legumbres.*

COBRE
Este oligoelemento ayuda a la formación del corazón del bebé y el sistema circulatorio, a la vez que repara tus tejidos. Es importante durante el tercer trimestre, ya que tu bebé al nacer necesita una gran cantidad de cobre para realizar muchas funciones metabólicas, incluyendo las del corazón y las del sistema inmunológico. Cuando el cobre se encuentra de forma natural junto al hierro, como en las espinacas, estimula la absorción del hierro.
Fuentes alimentarias: *avellanas, guisantes, judías, cereales integrales, ostras, cacao, espinacas, remolacha, espárragos.*

MAGNESIO
Necesario para el buen desarrollo de los huesos, las células, la función nerviosa y la coagulación de la sangre, este mineral protege la salud cardiovascular y puede ayudar a disminuir la hipertensión. Alivia los calambres de las piernas, las migrañas y el insomnio. Se relaciona con la reducción de las náuseas del embarazo y con una disminución del riesgo menor de tener un parto prematuro, y de parir recién nacidos de bajo peso. También ayuda a la absorción del calcio.
Fuentes alimentarias: *semillas de calabaza y de girasol, leche, almendras, arroz integral, brócoli, espinacas, remolacha, guisantes, judías, cereales integrales.*

ZINC
Este mineral es necesario para el desarrollo de los huesos y del sistema nervioso de tu bebé; también

refuerza su sistema inmunológico. Los niveles de zinc bajan en picado durante el embarazo, y se ha relacionado la falta de zinc con el nacimiento de bebés de poco peso, así como con un mayor riesgo de que pueda padecer defectos del tubo neural. Si te prescriben un suplemento de hierro, aumenta el consumo de alimentos ricos en zinc.
Fuentes alimentarias: *carne roja, semillas de calabaza, carne de ave, marisco, cereales integrales.*

SELENIO
Durante el embarazo se necesita gran cantidad de este potente antioxidante, que asegura el desarrollo de las células. Su falta puede estar relacionada con los abortos espontáneos y un aumento del riesgo de sufrir preeclampsia.
Fuentes alimentarias: *nueces de Brasil, nueces, almendras, cereales integrales, pescado, marisco, carne de ave, carne roja, huevos, ajos.*

POTASIO
Es fundamental para equilibrar los fluidos, aumentar el volumen de sangre, liberar energía y para los impulsos nerviosos y musculares. Toma más potasio si sufres calambres en las piernas. Hazlo también mientras estés dando de mamar.
Fuentes alimentarias: *patatas,*

remolacha, judías, lentejas, almejas, pescado, calabaza, zanahorias, higos, pasas, albaricoques, aguacates, aguaturmas, yogur, plátanos.

MANGANESO
Este importante mineral ayuda a formar huesos fuertes, evita que las células se dañen y estimula la producción de energía, especialmente cuando se combina con cobre.
Fuentes alimentarias: *cereales integrales, garbanzos, lentejas, avellanas, nueces, almendras, col rizada, espinacas, judías, frambuesas, fresas, ajo.*

CROMO
Ayuda a la formación de las proteínas de los tejidos en desarrollo del bebé. Al equilibrar los niveles de glucosa del cuerpo, es muy importante si tienes diabetes o desarrollas diabetes gestacional.
Fuentes alimentarias: *carne de ternera y de ave, huevos, ostras, espinacas, mantequilla de cacahuete, lechuga, manzanas, cebollas, plátanos.*

FÓSFORO
Este mineral trabaja junto con el calcio en la formación de huesos y dientes fuertes, tanto los tuyos como los de tu bebé. El fósforo también es necesario para el crecimiento y reparación de tejidos y células, y es importante para el funcionamiento de los músculos, los nervios, los riñones y el corazón. Regula la energía utilizada y puede reducir el dolor después de un esfuerzo.
Fuentes alimentarias: *yogur, leche, queso, pescado azul, carne de ave, lentejas, huevos, guisantes, judías, almendras, harina integral, ajo.*

OTROS NUTRIENTES INDISPENSABLES

PROTEÍNAS
Los aminoácidos de las proteínas son los bloques constructivos de las

células y los tejidos de tu bebé, y reparan tus células, órganos y tejidos. Los alimentos ricos en proteínas también son una buena fuente de vitaminas y minerales. La típica dieta occidental suele darnos todas las proteínas necesarias. La forma más «completa» de proteína se encuentra en los alimentos de origen animal. Si no comes carne, la combinación de diferentes proteínas de origen vegetal a lo largo del día te proporcionará los aminoácidos que necesites.

Fuentes alimentarias: *huevos, carne roja, pescado, carne de ave, marisco, leche, queso, avena, frutos secos y semillas, lentejas, cereales integrales, guisantes, garbanzos, judías, yogur.*

COLINA

Se trata de un aminoácido necesario para el desarrollo del cerebro y la memoria del bebé. Su deficiencia aumenta el riesgo de sufrir defectos en el tubo neural, sobre todo si te falta ácido fólico. Suele ser preciso aumentar la ingesta de colina durante el embarazo y la lactancia. Sin un aporte adecuado podemos tener deficiencia de ácido fólico.

Fuentes alimentarias: *yema de huevo, carne de ave, carne roja, patatas, lentejas, coliflor, avena, semillas de sésamo.*

FIBRA

El consumo diario de fibra dietética insoluble, que se encuentra en los productos integrales y en las verduras, puede ayudar a prevenir y aliviar el estreñimiento. La fibra soluble presente en la avena, las legumbres y las frutas te ayudarán a sentirte más llena durante más tiempo y a mantener estables los niveles de azúcar en sangre, a la vez que mejora la reacción del sistema inmunológico ante las infecciones bacterianas. Una dieta rica en fibra también ayuda a mantener una flora intestinal saludable.

Fuentes alimentarias: *cereales integrales, lentejas, brócoli, repollo, espinacas, guisantes, judías, espárragos, chirivías, zanahorias, cebollas, moras, manzanas.*

ÁCIDOS GRASOS OMEGA-3

El ácido docosahexaeonico (DHA) es el ácido graso esencial para el desarrollo del cerebro, los ojos y el sistema nervioso del bebé, así como para garantizar la salud del corazón a una edad avanzada. Es muy importante en el tercer trimestre de embarazo, cuando el tejido cerebral del bebé aumenta de forma considerable, y durante la lactancia materna. Algunos ensayos clínicos han demostrado que el omega-3 reduce el riesgo de parto prematuro; también parecían tener recién nacidos de mayor peso y un mejor desarrollo cognitivo durante los primeros años de vida. El DHA puede resultar útil a la hora de mantener el equilibrio emocional después de dar a luz, y para acelerar la recuperación; y puede afectar, para bien, las pautas de sueño de los bebés. La típica dieta occidental es alarmantemente baja en DHA: un estudio dice que solo consumimos un 20 por ciento de lo necesario durante el embarazo.

Comer demasiadas fuentes de ácidos grasos omega-6 (que se encuentran en los alimentos procesados) puede tirar por la borda un saludable equilibrio de omega-3 (véase página 121). El ácido alfa-linolénico (ALA) de origen vegetal se transforma en DHA en el cuerpo.

Fuentes alimentarias: *DHA: pescado azul (como salmón, caballa, atún, arenques, anchoas), algas; ALA: aceite de linaza, nueces, semillas de calabaza.*

FITONUTRIENTES

Estos componentes de las plantas aportan el sabor y color a la comida. Los más numerosos son los polifenoles: responsables del color de los arándanos o del sabor de las aceitunas. Tienen una potente acción antioxidante y combaten el envejecimiento de las células; son antiinflamatorios, antibacterianos y antivirales y ayudan a relajar los vasos sanguíneos. Un artículo de *The Journal of the American Nutraceutical Association* sugería que una dieta rica en fitonutrientes podía reducir el riesgo de sufrir complicaciones durante el embarazo. Come verduras y frutas de color amarillo, rojo, morado y verde a diario para una buena ingesta de fitonutrientes.

Fuentes alimentarias: *manzanas, naranjas, piña, arándanos, melocotones, acerolas, cerezas, papayas, zanahorias, perejil, remolacha, col rizada, brócoli, repollo, espinacas y tomates.*

LAS BONDADES DEL HUERTO

Estos maravillosos alimentos ofrecen un gran número de nutrientes para alimentar al bebé que está creciendo en tu interior y para aliviar varias molestias, como las náuseas del embarazo. Además, son una delicia para tus papilas gustativas. Sin duda a los amantes de la jardinería les gustará cultivar en casa algunas de estas frutas y verduras indispensables; pero si esto no es posible, en el mercado agrícola encontrarás productos con el mismo sabor que los del huerto, así como variedades demasiado delicadas o maduras para venderlas en los supermercados.

BRÓCOLI · REPOLLO · COL RIZADA · COLES DE BRUSELAS · ESPINACAS · ACELGAS
REMOLACHA · GUISANTES · TIRABEQUES · HABAS · JUDÍAS VERDES · ESPÁRRAGOS
CALABAZA · PATATAS · CHIRIVÍAS · ZANAHORIAS · JENGIBRE · GROSELLAS NEGRAS
FRAMBUESAS · LECHUGA · HOJAS DE MOSTAZA · TOMATES · AJO · CEBOLLETAS
CEBOLLINOS · LIMONES · FRESAS · ARÁNDANOS

⬇ BRÓCOLI

El ácido fólico, la vitamina C y el calcio de esta planta hacen que su ingesta sea fundamental durante el embarazo. Las variedades de color morado –producto básico en los mercados agrícolas y en las tiendas de comida orgánica– tienen una textura delicada y un sabor excelente, mientras que el brócoli calabrés, de mayor tamaño, es más fácil de encontrar y transportar. A las personas que los plantan les encanta el brócoli morado, pues cubre el vacío estacional de otras especies y se puede cosechar durante varias semanas.

BUENO PARA TI, BUENO PARA EL BEBÉ

El brócoli es la hortaliza que tiene más nutrientes. Es una fuente excelente de ácido fólico, de vitaminas C y K y de betacaroteno. Además, contiene manganeso, potasio, vitaminas B_2 y B_6, fósforo, magnesio, hierro y calcio, así como ácidos grasos omega-3. Es rico en fibra y contiene proteína. La combinación de calcio y vitamina C protege los huesos y estimula el sistema inmunológico. Los fitonutrientes del brócoli estimulan la actividad enzimática de desintoxicación que protege las células. El brócoli es beneficioso para el sistema cardiovascular, los ojos y el hígado y estimulan el sistema inmunológico.

CONSEJOS DE COMPRA

Elige el brócoli más compacto y azulado, o con las cabezas verdes amoratadas, signo de que es fresco: el brócoli fresco tiene un 5 por ciento de proteínas. Los tallos tienen que estar duros y firmes; el tallo hueco es signo de envejecimiento. Evita las cabezas amarillentas; los betacarotenos se agrupan en las cabezas, y la ausencia de color es señal de falta de nutrientes. Las cabezas de brócoli congeladas son una buena fuente de betacarotenos.

CULTIVO Y RECOLECCIÓN

Debido a que sobrevive al invierno, el brócoli ocupa espacio en el huerto durante todo el año, así que tal vez prefieras no cultivarlo si solo dispones de una pequeña parcela. Siémbralo a mediados de primavera para recolectarlo entre mediados de invierno y la primavera siguiente. El brócoli crece bien en climas húmedos y suelos arcillosos. Coloca una red a principios de primavera para evitar que se lo coman los pájaros.

Es fácil de conservar durante el embarazo ya que no es necesario inclinarse. Córtalos antes de que el capullo de las flores se abra, las cabezas se separen o comiencen a amarillear, y hazlo a menudo para estimular el crecimiento de más brotes. Corta primero la cabeza principal y luego los cogollos laterales.

TRUCOS DE COCINA

- Corta los cogollos y espera 5 minutos antes de cocinarlos para estimular los fitonutrientes.
- Cocínalos deprisa; los fitonutrientes se pierden cuando el brócoli se cocina durante más de 5 minutos. Cocínalos al vapor para conservar el ácido fólico y los antioxidantes, y salteados con aceite de oliva virgen extra. En distintas pruebas, este era el único tipo de aceite que mantenía la misma cantidad de fitonutrientes y vitamina C que el brócoli crudo.
- Cocina los brotes que sean más finos en vertical, como se hace con los espárragos, o cómelos crudos.
- Si estuvieran disponibles, cocina las hojas del mismo modo que el repollo; son una reserva de nutrientes.
- No cocines el brócoli en el microondas; en un estudio reciente, este modo de cocción reducía los antioxidantes hasta en un 97 por ciento.

BRÓCOLI MORADO

El brócoli morado, con sus pequeños y abundantes cogollos, sabe especialmente bien. Aunque la variedad púrpura queda bonita en los platos crudos, su color pierde intensidad al cocinarlo. Todas las hojas tiernas, los tallos y los cogollos son comestibles.

PLATOS RÁPIDOS Y SENCILLOS

- *Sirve los cogollos crudos junto a diferentes salsas en las que se puedan mojar.*
- *Haz una ensalada de cogollos escaldados, tomates secos y semillas de girasol tostadas.*
- *Adorna el brócoli al vapor con semillas de girasol.*
- *Pela, corta en juliana y cocina al vapor, o a la plancha, los deliciosos tallos. Sírvelos del mismo modo que los espárragos.*
- *Espolvorea el brócoli hervido con queso rallado.*
- *Escalda los cogollos y los tallos cortados en trocitos, fríelos en aceite de oliva y ajo; sírvelos con anchoas y tropezones de pan tostado.*
- *Sirve los cogollos más grandes cocidos al vapor con pasta y una salsa de aguacate.*

REPOLLO, COL RIZADA Y COLES DE BRUSELAS

COLES DE BRUSELAS

El repollo ha sido considerado la panacea universal desde los tiempos clásicos; durante el embarazo es útil para reducir las náuseas y después para aliviar la hinchazón de los pechos. La contundente naturaleza de la col rizada viene bien a los guisos sustanciosos y a las sopas de verduras de invierno, mientras que el repollo es uno de los ingredientes principales de los platos indios; su sabor casa bien con especias como el comino y el jengibre. Todas ellas proporcionan nutrientes fundamentales, entre los que se incluye el ácido fólico, durante los tradicionales meses de escasez vegetal.

Añade col de Milán a tu dieta para combatir la cistitis, y colócate una hoja en el sujetador cuando te suba la leche para aliviar la dolorosa hinchazón de los pechos.

BUENO PARA TI, BUENO PARA EL BEBÉ

El repollo, la col rizada y las coles de Bruselas son increíblemente ricos en vitaminas K y C, y contienen manganeso, vitamina B, ácido fólico, calcio y potasio. Los repollos contienen ácidos grasos omega-3, así como fibra y proteínas. Los fitonutrientes del repollo, incluyendo los sulforafanos e indoles, estimulan la actividad enzimática de desintoxicación que protege las células. Las verduras de esta familia también reportan beneficios cardiovasculares, estimulan la salud de los ojos, el hígado y el sistema inmunológico. La col roja es rica en antocianinas (lo que le da el color) y tiene niveles de vitamina C particularmente elevados; aunque la col rizada es el vegetal de hoja verde que más antioxidantes tiene. El característico sabor de las coles de Bruselas, que algunas personas encuentran demasiado amargo, se debe a la sinigrina.

El repollo es beneficioso para los problemas gastrointestinales y para combatir las náuseas del embarazo. Parece especialmente eficaz fermentada (chucrut); de esta manera conserva toda la vitamina C y contiene bacterias que mejoran la flora intestinal.

CONSEJOS DE COMPRA

Es preferible comprar aquellos repollos que tengan la cabeza dura y las hojas oscuras. Cuanto más oscuro sea el tono (verde o rojo), mejores serán las vitaminas. No tires las hojas externas especialmente ricas en nutrientes y evita comprar solo las cabezas, ya que el repollo empieza a perder vitamina C en cuanto se corta. Descarta los que tengan las hojas amarillentas y blandas.

Elige coles de Bruselas firmes y compactas. Las que se venden con el tallo se conservan frescas durante más tiempo. Las más pequeñas y verdes son más dulces. Si decides comprar col rizada, escoge la que tenga el cogollo

COL RIZADA

La col rizada (arriba) tiene las hojas de color verde oscuro. La col de Milán (abajo) tiene las hojas arrugadas y oscuras. Tiene un sabor suave y agradable y es muy tierna.

COL DE MILÁN

PLATOS RÁPIDOS Y SENCILLOS

- *Rehoga la col rizada, cortada en tiras, con aceite de nuez, ajo y soja.*
- *Sofríe col rizada con ajo y alubias blancas y sírvelo con rebanadas de pan tostado con queso parmesano.*
- *Utiliza el repollo, cortado en tiras, como base para ensaladas, con nueces, manzana y apio.*
- *Mezcla repollo, cortado en tiras, con puré de patata y cebolla picada; fríelo en un poco de aceite de oliva hasta que se forme una corteza crujiente; servir con carne fría.*
- *Cuece a fuego lento la col lombarda en zumo de naranja con un poquito de vinagre balsámico, miel y anís estrellado; acompañar con carne roja y de caza.*
- *Prueba las coles de Bruselas crudas: cortar en tiras y servir con una salsa vinagreta, o escaldar y sofreír con un poco de mantequilla y beicon.*
- *Cuece ligeramente al vapor las coles de Bruselas, o la col rizada, y saltéalas con castañas cocidas y beicon o lonchas de tocino.*

pequeño y las hojas crujientes. Cómprala ecológica para evitar los pesticidas. En 2009, el Grupo de Trabajo Medioambiental estadounidense la identificó como uno de los doce alimentos más contaminados por los pesticidas.

CULTIVO Y RECOLECCIÓN

Si planeas con ingenio, podrás disponer de repollos frescos durante todo el año. A esta familia de hortalizas le va bien el clima húmedo y frío. Es perfecta para cultivarla durante el embarazo ya que no requiere demasiados cuidados ni cavar mucho el suelo. Sin embargo, conviene vigilar y combatir las plagas de insectos y caracoles.

Los repollos se dividen en grupos estacionales: primavera, verano, otoño y el duro invierno, por lo que tendrás que planificar siembras sucesivas. La col rizada es extremadamente dura e incluso el horticultor más perezoso conseguirá que crezca. Retira las hojas amarillentas para evitar que se pudran y ayudar a que circule el aire. Corta las hojas más nuevas de la col rizada (evitando las hojas inferiores) y deja las plantas para que vuelvan a brotar y crezcan las cabezas.

TRUCOS DE COCINA

- Come el repollo crudo, ligeramente cocido al vapor o salteado para conservar el máximo de nutrientes.

- Córtalo en trocitos y espera 5 minutos antes de cocinarlo para estimular los fitonutrientes.
- Rehoga las hojas cortadas finas en un poco de aceite de oliva para incrementar la ingesta de nutrientes.
- Si añades hojas de repollo a guisos o sopas, hazlo unos minutos antes de servir.
- Desecha el tallo de la col rizada. Los brotes tiernos son menos amargos y más suaves que las hojas; se pueden añadir a las ensaladas o a los sofritos.
- Lava las hojas verdes en agua fría y sécalas dándoles unos golpecitos; las puedes guardar cubiertas con papel de cocina en una bolsa de plástico en el frigorífico hasta un máximo de tres días.

Una vez cortada, la col lombarda irá perdiendo su color a menos que la cubras con unas cucharadas de vinagre de vino tinto.

COL LOMBARDA

ESPINACAS Y ACELGAS

Estos frondosos vegetales verdes están bien cargados de sabor y nutrientes beneficiosos para el embarazo. Es bien conocido que las espinacas ayudan a combatir la anemia durante el embarazo. Las plantas son muy fáciles de cultivar en casa, lo que es muy útil ya que pierden muchos nutrientes durante su transporte y almacenaje. El sabor de las acelgas se parece al de las espinacas, pero en realidad la acelga es una variedad de remolacha. Tanto las acelgas como las espinacas forman buenas combinaciones con los sabores fuertes, y con

frecuencia se utilizan en recetas de Oriente Medio y de la India.

BUENO PARA TI, BUENO PARA EL BEBÉ

Las espinacas contienen más proteínas que ninguna otra verdura de hoja y son una fuente excelente de vitamina K y betacarotenos, ácido fólico, manganeso, magnesio y hierro. Contienen buenas cantidades de vitamina C, B_2, B_6 y E, calcio, potasio, cobre y zinc. También tienen fibra. Las espinacas contienen por lo menos trece antioxidantes y la vitamina K, el calcio y el magnesio que, juntos, forman los huesos. El cobre estimula la absorción de hierro en los glóbulos rojos. Las espinacas son útiles para bajar la presión arterial y estimular la salud gastrointestinal. También tienen propiedades antiinflamatorias.

Las espinacas cocinadas preservan su alto contenido en hierro, aunque contienen ácido oxálico, que limita la absorción del calcio y del hierro. Las propiedades de las acelgas son parecidas a las de las espinacas, aunque tienen menos ácido oxálico. Se recomienda esperar unas horas antes de comer cualquier otro alimento rico en calcio o hierro, o tomarlas con una fuente de vitamina C (como zumo de naranja) para estimular la absorción de hierro.

CONSEJOS DE COMPRA

Cuanto más oscuras sean las hojas, mejores serán los nutrientes. Busca acelgas y espinacas con tallos firmes y crujientes y hojas sin manchas. Son mejores las congeladas que las cortadas una semana atrás.

espinacas y acelgas

PLANTAR UNA MACETA

El principio es el mismo, ya sea para plantar macetas alargadas, grandes y profundas, o jardineras estrechas. Antes de empezar, comprueba que el recipiente sea lo suficientemente grande y profundo para el tipo de planta que tengas planeado cultivar, y asegúrate de que tenga agujeros de drenaje. Necesitarás que alguien te ayude a levantar las pesadas bolsas de abono y a colocar las macetas en su sitio.

Antes de empezar comprueba que la maceta o jardinera esté colocada en su posición final y que tienes las plantas o semillas a mano.

1 Coloca la maceta sobre unos «pies» de terracota, unos bloques de madera o unos ladrillos para separarla un poco del suelo; coloca una bandeja para recoger el agua sobrante debajo de las jardineras. Coloca una capa de grava, o fragmentos de terracota, en la base del recipiente para favorecer el drenaje.

2 Llena la maceta de abono orgánico multiuso, sin turba (o la tierra más apropiada para el tipo de planta) hasta unos 2 cm por debajo del borde; ve aplastando el abono para evitar que se formen bolsas de aire. Riega con abundante agua.

3 Trasplanta las plantas jóvenes soltando con suavidad las raíces. Si usas semillas, sigue las instrucciones del paquete.

4 Coloca todas las plantas al mismo nivel en la maceta y presiona la tierra a su alrededor. Riégalas con cuidado para no desarraigarlas.

PLANTAR UNA CESTA COLGANTE

Elige la cesta más profunda y ancha que encuentres para no tener que regarla con frecuencia —más tierra equivale a menos pérdida de humedad— y compra un tipo de abono para macetas que sea ligero. Antes de empezar, mezcla el abono con gránulos retentores de agua para evitar que pierda humedad. Los tomates cherry y las judías y guisantes quedan muy decorativos colgando por los lados de la cesta.

1 Coloca la cesta sobre un cubo para mantenerla estable. Reviste la cesta con un forro de fibra y con un plástico resistente para retener la humedad. Haz unas cuantas hendiduras en la base y en los lados del revestimiento para favorecer el drenaje.

2 Llena la cesta hasta la mitad con tierra para macetas y coloca un máximo de tres plantas, dependiendo del tamaño de la cesta.

3 Añade tierra hasta 2 cm por debajo del borde de la cesta. Presiona la tierra suavemente alrededor de las plantas.

4 Riega la cesta antes de pedirle a alguien que la cuelgue. Riégala una vez por semana.

CULTIVO Y RECOLECCIÓN

Las espinacas y las acelgas crecen con facilidad, y vuelven a salir una vez arrancadas. Además de necesitar poco mantenimiento, toleran una tierra pobre. Nunca te quedarás sin espinacas si plantas las variedades de verano y de invierno; realiza varias siembras para tener cosechas sucesivas, aunque debes tener cuidado durante el buen tiempo porque las plantas suelen espigarse.

No hace falta que prestes excesiva atención a las acelgas ya que es raro que las babosas las ataquen. Plántalas en una maceta o al frente de un arriate para que se vean y se puedan coger con facilidad. Las acelgas crecen sobre todo por el tallo; cuando vayas a recolectarlas, estira del tallo en vez de cortarlas.

ACELGA ROJA

Hay acelgas con las hojas de color verde oscuro y el tallo de un rojo brillante, o bien con hojas verdes y rizadas y el tallo muy largo y blanco.

TÓNICO ESTIMULANTE DE ÁCIDO FÓLICO

Este zumo es un tónico para cuando sientas que necesitas animarte un poco. Las espinacas ayudan a aliviar el estreñimiento y a fortalecer las encías sangrantes; también son valoradas por sus propiedades regeneradoras de la piel. Procura comprar productos ecológicos. Necesitarás una licuadora.

> 225 g de espinacas
> 1 tallo de apio
> 1 zanahoria
> 180 ml de zumo de tomate
> salsa Worcestershire (opcional)

Lavar bien las hojas de espinacas y descartar los tallos demasiado gruesos. Colocar las hojas en un cazo, tapar y cocinarlas a fuego medio durante 2 o 3 minutos. Pasarlo por la licuadora junto con la zanahoria y el apio. Verter el zumo en una jarra y mezclarlo con el zumo de tomate. Servir el tónico en un vaso con hielo y unas gotitas de salsa Worcestershire (opcional). Este zumo se conserva en la nevera hasta 24 horas.

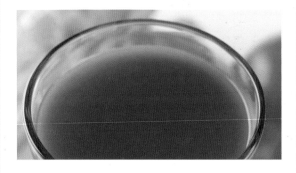

PLATOS RÁPIDOS Y SENCILLOS

• *Las espinacas cocidas al vapor, cortadas y mezcladas con nuez moscada y parmesano, pueden ser la base sabrosa de un huevo escalfado.*

TRUCOS DE COCINA

• Las hojas jóvenes son más ricas. Descarta los nervios de las hojas más viejas de la espinaca.
• Come espinacas crudas (después de lavarlas con cuidado) para obtener la máxima absorción de nutrientes.
• Combina las espinacas con una fuente de vitamina C como, por ejemplo, en pimientos rojos cortados en tiras, para estimular la absorción de minerales.
• Rocía las hojas de espinaca con un poco de aceite de oliva o de nuez para potenciar la ingesta de vitamina E y luteína (un tipo de fitonutriente), que protege los ojos.
• Prepara unos 225 g de espinacas por persona, ya que menguan mucho durante la cocción.
• No hace falta cocer las espinacas en agua, basta con lavar las hojas, colocarlas en una sartén a fuego lento y cubrir. Deja que transpiren durante unos minutos hasta que las hojas se hayan ablandado formando un suave montón. Exprímeles el agua sobrante, córtalas y sírvelas.
• Cuanto más tiempo guardes las espinacas, menos ácido fólico y carotenoides tendrán. Las acelgas los conservan mejor que las espinacas.
• Cocina los tallos de acelga sin hojas a fuego lento; sírvelos como si fueran espárragos.

REMOLACHA

Otro fabuloso alimento rico en ácido fólico; la remolacha es fantástica para comerla sola, a la hora del almuerzo, si te suele faltar energía por las tardes, ya que se convierte en azúcar muy despacio y mantiene estables los niveles de glucosa en sangre. Hace tiempo que se utiliza como planta medicinal para fortalecer el sistema cardiovascular y digestivo, y como laxante natural. Una buena razón para cultivar tu propia remolacha es que así tendrás un buen suministro de hojas jóvenes. Son de la misma familia que las espinacas y las acelgas, pero se marchitan tan rápido que ni siquiera se encuentran en los mercados agrícolas.

BUENO PARA TI, BUENO PARA EL BEBÉ
Además de proporcionar una gran cantidad de ácido fólico, la remolacha contiene niveles muy altos de manganeso y potasio, y es una buena fuente de vitamina C, magnesio, fósforo, cobre y hierro. El cobre estimula la absorción del hierro en los glóbulos rojos. Las hojas son una buena fuente de hierro y calcio (tienen más cantidad que las espinacas) y contienen niveles muy altos de betacarotenos y vitamina C.

El color rojo pone de relieve las propiedades benéficas de la planta. La betalaína, colorante natural con actividad antioxidante, fortalece el hígado y estimula el sistema inmunológico. Los carotenoides y flavonoides antioxidantes también estimulan el sistema inmunológico y la salud cardiovascular, y reducen la inflamación. Parece que la remolacha puede neutralizar nitratos peligrosos, si has estado comiendo carnes procesadas.

Varios estudios han demostrado que tomar medio litro de zumo de remolacha al día reduce la presión arterial

Puedes almacenar las remolachas que no vayas a utilizar en un lugar fresco y oscuro. El método tradicional es guardar las remolachas por capas en una caja cubierta de tierra.

y aumenta la histamina, lo que hace que nos cansemos menos al realizar actividades agotadoras (tal vez te irá bien tomarlo durante las primeras etapas del parto).

La remolacha, sobre todo las hojas, contiene ácido oxálico, lo que puede dificultar la absorción del calcio y del hierro. Se recomienda esperar unas horas antes de ingerir alimentos ricos en calcio o hierro, o comer la remolacha junto a una fuente de vitamina C (zumo de naranja) para estimular la absorción de hierro.

CONSEJOS DE COMPRA
Las remolachas pequeñas y de tamaño medio son más jugosas que las grandes. Cómpralas en manojos para poder utilizar las hojas, lo que además te dará una pista sobre lo frescas que son. Las hojas tienen que ser frescas y blandas al tacto. La remolacha tiene que ser dura, sin arrugas ni trocitos blandos. Presiona la remolacha antes de comprarla: si está muy blanda querrá decir que está pasada. Evita las remolachas precocinadas y envasadas al vacío, que suelen saber solo a vinagre.

PLATOS RÁPIDOS Y SENCILLOS
- *Añade remolacha cruda y rallada a las ensaladas, o mézclala con yogur natural.*
- *Aliña las hojas tiernas con aceite de oliva, vinagre, sal y pimienta.*
- *La remolacha saca toda su dulzura cuando se asa; córtala y añádela a la bandeja del horno junto a otros alimentos básicos de invierno como las zanahorias, las chirivías, los nabos y la calabaza.*

CULTIVO Y RECOLECCIÓN

Siémbralas en serie para garantizarte la cosecha desde finales de primavera hasta otoño. Si al principio parece que las plantas jóvenes dejan de crecer, déjalas: tardan un tiempo en empezar a hacerlo. Una vez empiecen, poda los plantones para que no se toquen entre sí; esto estimulará su crecimiento. Puedes dejar las remolachas en la tierra hasta mediados de invierno, aunque vigila que no se pongan demasiado duras, o guardarlas en una caja cubierta de arena.

Rompe las hojas retorciéndolas en lugar de cortarlas, para prevenir que la remolacha sangre.

TRUCOS DE COCINA

- Come las hojas crudas (después de lavarlas con cuidado) para absorber el máximo de nutrientes.
- Puedes rallar la remolacha y utilizarla en ensaladas.
- Combina la remolacha con alguna fuente de vitamina C, como el brócoli, los pimientos o el zumo de limón, para estimular la absorción de minerales.
- La cantidad de betacarotenos y fibra aumenta con la cocción; aun así, cocínala al vapor, en el microondas o al horno para conservar toda la vitamina C y B.
- No abuses del vinagre; podrías ahogar su sutil sabor a tierra.
- No hiervas la remolacha; destruirías nutrientes vitales.

ZUMO ENERGÉTICO PÚRPURA

El nitrato de la remolacha estimula la producción de histamina, que te da fuerzas cuando te falta energía. Asimismo, la remolacha alivia el estreñimiento durante la gestación. El jengibre del zumo ayuda a combatir las náuseas. Necesitarás una licuadora.

Una remolacha cruda de tamaño medio (ecológica, si es posible)
2 cm de raíz de jengibre fresca
1 manzana

Limpiar y pelar la remolacha (con cuidado, ya que el jugo mancha); pelar el jengibre y lavar la manzana. Licuar todos los ingredientes. Se puede guardar lo que sobre en la nevera, hasta un máximo de 48 horas.

GUISANTES Y TIRABEQUES

Excelentes para los huesos y una buena fuente de ácido fólico, los guisantes son un tónico para el alma. ¿Hay algo más delicioso que vaciar el jugoso contenido de una vaina fresca directamente en la boca? Los guisantes de los supermercados no suelen tener el sabor ni la dulzura de los cultivados en casa o los de un mercado agrícola. Las vainas de guisantes son un perfecto tentempié para llevar durante el embarazo, igual que los tirabeques, que se comen enteros.

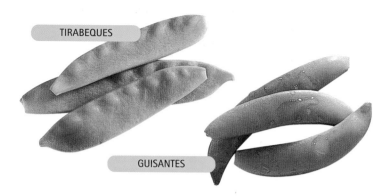

TIRABEQUES

GUISANTES

BUENO PARA TI, BUENO PARA EL BEBÉ

Los guisantes, una buena fuente de vitamina B_1, C y K, manganeso y ácido fólico, también contienen vitaminas A y B_6, fósforo, magnesio, cobre, hierro y zinc. El cobre estimula la absorción de hierro en los glóbulos rojos. Los guisantes tienen mucha fibra y proteínas, así como betalaínas y carotenoides antioxidantes, que refuerzan el sistema inmunológico y cardiovascular.

CONSEJOS DE COMPRA

Escoge las vainas duras y de un verde brillante; descarta las que se muevan al agitarlas: los guisantes de su interior no habrán crecido del todo. Los guisantes congelados pueden ser más frescos, sabrosos y nutritivos que las vainas un poco pasadas. Escoge las vainas más pequeñas y evita aquellas a las que hayan cortado las puntas.

Come los guisantes el mismo día que compres las vainas; saben mucho mejor cuando se acaban de recoger.

CULTIVO Y RECOLECCIÓN

A los guisantes les gusta la tierra abonada, bien rastrillada y con buen drenaje, así que pídele a alguien que lo haga por ti. El cultivo sucesivo te evitará el exceso de guisantes: siembra cada dos o tres semanas a partir de mediados de primavera. Tapa con una red las plantas jóvenes y cubre la tierra a su alrededor con pajote para evitar que crezcan las malas hierbas. Corta las plantas después de la cosecha pero deja las raíces en la tierra para que despidan nitrógeno en el suelo. A continuación puedes sembrar alguna hortaliza que necesite nitrógeno, como repollos, espinacas o lechugas. No plantes guisantes en el mismo cantero dos años seguidos.

Para reducir el trabajo al mínimo, elige variedades que no se tengan que tutorar y que sean fáciles de cosechar. Puedes coger las vainas jóvenes y comerlas a modo de tirabeques, o cultivar alguna variedad específica de tirabeque.

Recógelos regularmente para que la planta eche más flores. Coge los tirabeques cuando la vaina todavía esté plana pero se estén comenzando a formar y sobresalir las semillas. Tienen que partirse con un crujido. Si lo que deseas es recolectar los guisantes secos, déjalos en la planta; una vez que las vainas se hayan secado, corta toda la planta y cuélgalos boca abajo para que terminen de secarse. Desvaina los guisantes y guárdalos en un bote hermético hasta el momento de ponerlos en remojo.

TRUCOS DE COCINA

- Los guisantes crudos recién cogidos son muy dulces.
- Los guisantes frescos solo necesitan 2 o 3 minutos de cocción en agua hirviendo.
- Una forma tradicional de cocinar los guisantes es al vapor, entre capas de hojas de lechuga gruesas y con un par de cucharadas de agua.
- Añade tirabeques crudos a las ensaladas.
- Los tirabeques se pueden cocinar al vapor o saltear.

PLATOS RÁPIDOS Y SENCILLOS

- *Sirve los guisantes con un poquito de mantequilla y unas hojas de menta fresca.*
- *Añade un puñado de guisantes al arroz o al risotto, o mézclalos con pasta.*

HABAS

Antes de la llegada de la patata a Europa, las habas eran uno de los alimentos básicos, gracias a su gran valor nutritivo. Desde antiguo se las ha relacionado con un crecimiento mágico, con la abundancia, con la nueva vida y el renacer: puede que fuese debido a que llegan a principios de primavera y, una vez secas, alimentan durante todo el invierno.

BUENO PARA TI, BUENO PARA EL BEBÉ

Las habas son una muy buena fuente de ácido fólico; también contienen fósforo, manganeso, magnesio, potasio, hierro y cobre; este último estimula la absorción del hierro en los glóbulos rojos. Además, contienen vitaminas B y están llenas de fibra y proteínas. Como tienen levodopa, una sustancia química que «te hace sentir bien», las habas te pueden animar cuando estés preocupada o abatida.

CONSEJOS DE COMPRA

No compres habas marchitas o blandas. Las habas que han estado expuestas en la tienda durante demasiado tiempo estarán duras; las habas congeladas

Las habas tiernas y frescas tienen una textura agradable y son dulces.

conservan muy bien el sabor y son mejores que las frescas viejas.

CULTIVO Y RECOLECCIÓN

Fáciles de cultivar, las habas necesitan pocos cuidados, toleran la mayoría de los suelos y crecen bien en climas secos. Siembra una tanda a partir de mediados de otoño, bien cubiertas con mantillo; deja que transcurra el invierno y recógelas a finales de primavera. Siembra otra tanda a principios de primavera. Deja las raíces en la tierra después de la cosecha para que despidan nitrógeno en el suelo. Luego puedes sembrar alguna hortaliza a la que le guste el nitrógeno, como los repollos, las espinacas o las lechugas. No plantes habas en el mismo espacio de tierra dos años seguidos. Para disuadir a las moscas negras pellizca las puntas de las flores.

Las de vaina larga contienen más habas (ocho) y son más duras, mientras que la variedad de Inglaterra o de Windsor tiene menos habas (cuatro o cinco), pero su sabor es mejor. Las habas son normalmente verdes, aunque las hay de color cobre y rosadas. Escoge aquellas variedades que no se tengan que tutorar para reducir el trabajo en el huerto.

Puedes cosechar las habas tiernas (para comerlas como tirabeques) o más maduras, o bien dejarlas en la planta hasta que se marchiten para guardarlas secas. Coge las vainas con frecuencia para que salgan más flores.

TRUCOS DE COCINA

- Limpia las vainas muy jóvenes y cómelas crudas o cocínalas enteras, tal como haces con los tirabeques.
- Utiliza la parte más frondosa y nueva de la parte superior de la planta como hojas de ensalada.
- Si quieres que las habas tengan un sabor dulce y una textura suave, cómelas tan rápido como te sea posible.
- Pela las habas más viejas antes de cocinarlas para que sepan mejor.

PLATOS RÁPIDOS Y SENCILLOS
- *Añade un poquito de perejil a las habas ya cocinadas.*
- *Prueba a tomar habas fritas como tentempié.*

JUDÍAS VERDES

Las judías se pueden comer de tres formas distintas: la vaina entera mientras es tierna, la semilla cuando aún está verde o la semilla seca (alubias). Hay muchas variedades de judías, y tienen una temporada muy larga.

BUENO PARA TI, BUENO PARA EL BEBÉ

Las judías verdes contienen vitamina C, A y K, y manganeso en abundancia; son una buena fuente de ácido fólico. También contienen potasio, magnesio, vitaminas B_1 y B_2, hierro y cobre, que estimula la absorción del hierro en los glóbulos rojos. Es importante destacar que las judías contienen ácidos grasos omega-3 y están llenas de fibra y proteínas.

Las alubias contienen estaquiosa y rafinosa, difíciles de digerir y que pueden causar molestias y gases.

CONSEJOS DE COMPRA

Cuando compres judías verdes, escoge las más suaves y de color verde brillante. Rompe una para comprobar que estén frescas: las frescas se partirán con un crujido, las pasadas se doblarán y tendrán hebras a los lados. No compres judías con manchitas. Las judías redondas son las que tienen mejor sabor. Las judías verdes congeladas contienen más vitamina C que las que ya lleven una semana cosechadas.

CONSEJOS DE CULTIVO

Las judías verdes son ideales para los que tengan pereza de trabajar en el huerto en invierno: no se pueden sembrar hasta que terminen las heladas. Las semillas necesitan mucho alimento y humedad: pídele a alguien que cave una zanja profunda a principios de año y ve tirando en su interior la basura orgánica. Espera hasta finales de primavera para sembrarlas: si las plantaras antes el frío les impediría germinar. Se pueden sembrar directamente en la tierra, así te ahorrarás trabajo. Ata las plantas a unas cañas colocadas a modo de trípode para que las judías sean más fáciles de coger. Después de la cosecha, deja las raíces en la tierra para que despidan nitrógeno. Después puedes sembrar alguna hortaliza a la que le guste el nitrógeno, como las espinacas o las lechugas. No plantes nunca judías en el mismo cantero dos años seguidos. Vigila que las plantas jóvenes no tengan babosas.

Las vainas de las judías verdes pueden ser planas o cilíndricas, estrechas o anchas, y el color puede ir del blanco salpicado de amarillo al púrpura azulado. En los supermercados solo se encuentran algunas

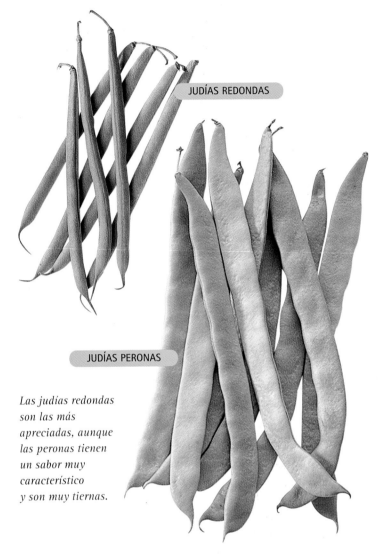

JUDÍAS REDONDAS

JUDÍAS PERONAS

Las judías redondas son las más apreciadas, aunque las peronas tienen un sabor muy característico y son muy tiernas.

variedades poco interesantes, por eso es mejor cultivarlas en casa. Compra semillas que no sean híbridas para que puedas usar algunas judías secas como simiente el año siguiente. Planta judías de tipo trepador si quieres plantas vistosas y que den muchas vainas, o judías arbustivas (enanas) si quieres poner menos cañas y obtener una cosecha más rápida, aunque más corta.

Las judías verdes de flores rojas son las que más lucen en el huerto durante el verano, son muy vigorosas e increíblemente sabrosas; aunque todas las judías son nutritivas y llenan mucho.

Las judías son ideales para las embarazadas ya que no tendrás que agacharte a la hora de cosecharlas. Recoléctalas con regularidad para que la planta eche más flores. Si se hacen demasiado grandes, déjalas

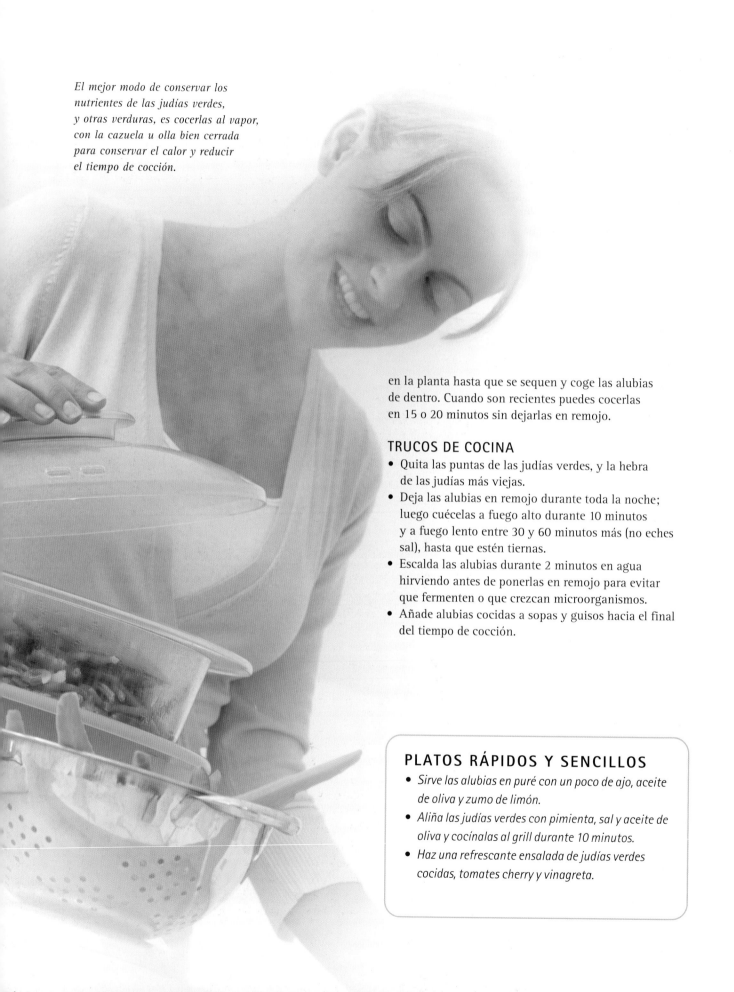

El mejor modo de conservar los nutrientes de las judías verdes, y otras verduras, es cocerlas al vapor, con la cazuela u olla bien cerrada para conservar el calor y reducir el tiempo de cocción.

en la planta hasta que se sequen y coge las alubias de dentro. Cuando son recientes puedes cocerlas en 15 o 20 minutos sin dejarlas en remojo.

TRUCOS DE COCINA

- Quita las puntas de las judías verdes, y la hebra de las judías más viejas.
- Deja las alubias en remojo durante toda la noche; luego cuécelas a fuego alto durante 10 minutos y a fuego lento entre 30 y 60 minutos más (no eches sal), hasta que estén tiernas.
- Escalda las alubias durante 2 minutos en agua hirviendo antes de ponerlas en remojo para evitar que fermenten o que crezcan microorganismos.
- Añade alubias cocidas a sopas y guisos hacia el final del tiempo de cocción.

PLATOS RÁPIDOS Y SENCILLOS

- *Sirve las alubias en puré con un poco de ajo, aceite de oliva y zumo de limón.*
- *Aliña las judías verdes con pimienta, sal y aceite de oliva y cocínalas al grill durante 10 minutos.*
- *Haz una refrescante ensalada de judías verdes cocidas, tomates cherry y vinagreta.*

ESPÁRRAGOS

El espárrago es uno de los vegetales que más cantidad de ácido fólico tiene, por eso son ideales durante el primer trimestre de embarazo. Son mucho más ricos los del huerto o los del mercado agrícola local. Comenzar un cantero de espárragos es como tener un bebé: un proyecto a largo plazo que no se puede tomar a la ligera. Aunque los problemas iniciales tardarán entre dos y tres años en desaparecer, aún recogerás los frutos cuando tu hijo se haya ido de casa.

BUENO PARA TI, BUENO PARA EL BEBÉ

Llenos de ácido fólico y vitamina K, además de vitamina C y betacaroteno, vitaminas B, manganeso, potasio, cobre y hierro, los espárragos también tienen proteína y fibra. Los espárragos contienen inulina, que promueve el crecimiento de la flora bacteriana intestinal.

Por su efecto diurético, se han utilizado desde la antigüedad como cura para las hinchazones y la retención de líquidos; también pueden aliviar la cistitis.

No te preocupes si tu orina tiene un olor fuerte después de comer espárragos; esto se debe a un aminoácido llamado metionina, que es inofensivo.

ESPÁRRAGOS MORADOS

ESPÁRRAGOS VERDES

PLATOS RÁPIDOS Y FÁCILES

- *Asa los espárragos a la parrilla con un chorrito de aceite de oliva, dándoles la vuelta; alíñalos con zumo de limón y pimienta negra.*
- *Sírvelos con un poco de mantequilla derretida o una vinagreta de limón.*
- *Ralla un poco de parmesano por encima de los espárragos asados al grill.*
- *Prueba a servir espárragos con huevos; una combinación deliciosa.*
- *Añádelos hervidos y en pedacitos a una salsa de crema para pasta.*

CONSEJOS DE COMPRA

Escoge espárragos procedentes de cultivos locales, así comerás productos de temporada, desde mediados de primavera hasta principios de verano. Tal vez encuentres espárragos más baratos en los mercados agrícolas, que son perfectos aunque demasiado finos o cortos para el supermercado. Son una ganga. Los espárragos finos tienen más sabor que los gigantes, que resisten bien el transporte. Si los cultivas tú deberás saber que el espárrago es uno de esos vegetales que mejor saben cuanto más frescos son. Los espárragos en bote o en lata te ayudarán a mantener la flora intestinal en buen estado, pero apenas tienen sabor.

Crear un cantero de espárragos es un proyecto importante ya que tendrás que dejar suficiente espacio para que crezcan 30 coronas y luego dejarlas en la tierra durante 20 años. La mayoría de las coronas no se pueden cosechar durante los primeros dos o tres años.

TRUCOS DE COCINA

- Los espárragos verdes o púrpuras son mejores que los blancos, ya que tienen más fitonutrientes.
- Corta el extremo leñoso.
- No peles los espárragos; solo lávalos bien con agua.
- Si no tienes un hervidor de espárragos, ata suavemente el manojo y cocínalos en posición vertical en un cazo hondo cubierto con papel de aluminio para que se cocinen las puntas.
- Los espárragos solo necesitan unos 5 minutos de cocción, dependiendo del grosor.

CALABAZA

CALABAZAS BONETERAS

CALABAZA BELLOTA

CALABAZA MOSCADA

Hay calabazas de verano y de invierno: las primeras se comen al poco tiempo de recogerlas; las segundas se guardan para los meses de escasez vegetal. Algunas de las mejores variedades son la bellota y la bonetera.

Gracias a su buena conservación representa una buena fuente de nutrientes en invierno. Durante el embarazo, te irán mejor las variedades de invierno que los calabacines de verano: son más sabrosas y tienen más nutrientes. En algunas culturas, las calabazas son un símbolo de fertilidad: en el Congo se masajea a las jóvenes con calabaza blanca para propiciar la maternidad. Como norma básica, cuanto más profundo sea el color, más fresca y sabrosa será la calabaza y más fitonutrientes tendrá.

BUENO PARA TI, BUENO PARA EL BEBÉ

La calabaza de invierno es rica en betacaroteno, vitamina C, potasio y manganeso, y contiene además buenas cantidades de ácido fólico, vitaminas B, ácidos grasos omega-3 y cobre. Tiene mucha fibra y gran cantidad de carotenoide beta-criptoxantina, que favorece la salud pulmonar, y de betacarotenos antioxidantes y antiinflamatorios. Las semillas son una fuente de ácidos grasos omega-3 y zinc, vitamina E, magnesio y ácido fólico, y tienen la capacidad de disminuir los niveles de colesterol.

CONSEJOS DE COMPRA

Evita las calabazas gigantes que se cultivan para Halloween (que tienen la pulpa fácil de cortar). Escoge las más duras y pesadas. Encontrarás variedades poco corrientes en los mercados agrícolas. Evita las que tengan imperfecciones o manchas.

CULTIVO Y RECOLECCIÓN

Estas plantas necesitan mucho alimento, así que pídele a alguien que abone la tierra con estiércol o abono antes de plantarlas. No trasplantes plantas jóvenes hasta que haya pasado el peligro de helada, y luego ten cuidado con las babosas. Prueba a poner jarras de cristal invertidas sobre las plantas jóvenes al final del día, como si arroparas las hojas. Las plantas requerirán mucha agua a medida que vayan creciendo, además de mucho espacio para poder expandirse, así que cúbrelas bien con mantillo para hacer que tu trabajo sea más fácil. Riégalas con especial cuidado cuando florezcan y cuando crezca el fruto. Para que florezca mejor (y controlar el crecimiento en un espacio reducido), ata

PLATOS RÁPIDOS Y SENCILLOS

- *Añade una pizca de comino, cilantro y jengibre a la calabaza cocida.*
- *Lava las pepitas de calabaza y hornéalas a baja temperatura hasta que estén tostadas; sírvelas con un poquito de sal.*

La calabaza se cosecha cortándolas y dejándoles el tallo. Comprueba la madurez examinando su color, textura y firmeza.

las ramas a una valla o sobre una pérgola. Es costumbre intercalarlas entre los bancales de maíz y judías. Corta algunas flores y frutos para que se desarrollen solo dos o tres calabazas por planta. Poda las hojas mohosas y las que den sombra al fruto.

Deja la calabaza en la planta el mayor tiempo posible para que se haga compacta, incluso después de que se hayan caído las hojas. Una vez cortadas las calabazas (déjales el tallo largo para que sean fáciles de transportar), déjalas curar o endurecer al sol de otoño durante unas dos semanas (éntralas en casa si hace frío). Utiliza cuanto antes las que tengan imperfecciones; el resto las puedes guardar entre dos y seis meses.

TRUCOS DE COCINA

- Añade un poco de curry a la sopa de calabaza; mézclale un yogur para que se enfríe.
- Utiliza sal de algas marinas para realzar su sabor mantecoso.
- Unta con miel los trozos de calabaza antes de meterlos al horno.

PATATAS

A muchas de nosotras nos apetecen más las comidas caseras durante el embarazo, y pocos platos son tan reconfortantes como un buen tazón de esponjoso puré de patatas. No en vano, el nombre botánico de la patata, *Solanum tuberosum*, deriva del término latino que significa «calmante». No te preocupes por los malos carbohidratos: las patatas tienen muchos nutrientes.

BUENO PARA TI, BUENO PARA EL BEBÉ

Las patatas aportan vitaminas C y B_6, y algo de cobre, potasio y manganeso. También contienen fibra. Son ricas en compuestos antioxidantes de origen vegetal que protegen contra las enfermedades coronarias y los problemas respiratorios, y reducen la presión arterial. El almidón de las patatas hervidas frías ayuda a mantener una flora intestinal saludable. Las patatas pueden elevar los niveles de azúcar en la sangre: para evitarlo, añádeles guisantes, judías o yogur.

Los boniatos son más ricos en betacaroteno, manganeso y vitaminas C y B_6. También contienen cobre, potasio y hierro. En patatas y boniatos, los nutrientes están concentrados tanto en la piel como debajo de ella.

CONSEJOS DE COMPRA

Cuanto más viejas sean las patatas, menos nutrientes tendrán. Evita comprar las que venden limpias en bolsas de plástico: el plástico hace que suden y se pudran. Aquellas recubiertas de tierra durarán más. Tira a la basura las patatas que tengan brotes o con un poco de verde; contienen solanina, un alcaloide venenoso.

Escoge patatas cerosas de carne amarillenta para hacerlas hervidas, al vapor o salteadas. Escoge las variedades harinosas para hacerlas asadas o en puré.

Cuanto más oscuro sea el color de un boniato, mejores serán su sabor y humedad, y más antioxidantes tendrá. Los hay de dos tipos: uno tiene la piel entre naranja y roja, y la carne rosa oscuro; el otro tiene la piel más oscura, casi amoratada, y la carne es de un color más pálido.

PATATA PARA HORNEAR

PATATAS NUEVAS

BONIATO

Las patatas son una buena fuente de nutrientes;
lo que les da tan mala reputación son los
ingredientes con los que las cocinamos.

TRUCOS DE COCINA

- Las patatas nuevas han de comerse enseguida.
- Cocina las patatas orgánicas con la piel para conservar los nutrientes.
- No peles las patatas nuevas: la piel no ha acabado de madurar y aporta sabor.
- Cuece las patatas durante 3 minutos antes de asarlas, escúrrelas bien y colócalas elegantemente en la bandeja. Así la parte de fuera quedará más crujiente.
- Sala las patatas con sal gruesa antes de hornearlas.
- Si quieres que las patatas asadas te salgan perfectas, pincha la piel con un tenedor y frótalas con aceite de oliva y sal marina.
- Asa boniatos: necesitan menos tiempo que las patatas. Si envuelves las patatas en papel de aluminio antes de hornearlas, los nutrientes se conservarán mejor.
- Guarda las patatas en un lugar fresco y oscuro, preferiblemente en un saco de arpillera.

CULTIVO Y RECOLECCIÓN

Las patatas son perfectas para los jardines nuevos, pues limpian y rompen los suelos compactos, pero crecen mejor si se abona bien la tierra el otoño anterior a su siembra (pídele a alguien que lo haga por ti). Busca las variedades locales para usarlas de semilla. Hay que «grillar» las patatas: déjalas en hueveras en una habitación fresca y bien iluminada, con los ojos hacia arriba hasta que crezcan los brotes (alrededor de seis semanas). Las más tempranas se cosechan a principios de verano, cuando son especialmente bienvenidas. Saben mejor y necesitan menos espacio que las grandes cosechas de otoño. Después viene una segunda cosecha, seguida de la cosecha principal, que se extiende hasta el otoño y produce grandes cantidades.

No caves para no alborotar el huerto. Coloca las patatas en el suelo y cúbrelas con tierra o restos de hierba. Rodea los tallos con tierra para evitar que las patatas se pongan verdes. Las patatas pueden cultivarse en macetas grandes (de hasta un metro de ancho y de profundidad). Siembra dos plantas en cada maceta.

Los boniatos son una especie distinta y necesitan una temperatura cálida para crecer y dar frutos, pero son relativamente fáciles de cultivar. Comienza con esquejes y deja que trepen por un trípode.

Las patatas estarán listas cuando florezca la planta, aunque puedes dejarlas hasta que se sequen las hojas. Para conservar los nutrientes deja las patatas en la tierra y arranca solo las que necesites.

PLATOS RÁPIDOS Y SENCILLOS

- *Añade una cucharada de queso fresco y mucha pimienta negra al puré de patata. Estará aún más rico con aceite de oliva y parmesano.*
- *Prueba el puré de patata de ajo, hecho con ajo machacado y aceite de oliva afrutado.*
- *Vacía con una cuchara el interior de las patatas asadas y mezcla la carne con huevo duro, cebollinos y anchoas. Rellena la patata con la mezcla, espolvoréala con parmesano y gratínala.*
- *Haz una ensalada mezclando patatas nuevas recién hervidas con cebolletas y nata agria.*
- *Si deseas cocinar una comida que llene mucho, corta patatas grandes en rodajas tan finas que sean casi transparentes, lávalas, sécalas dándoles unos golpecitos y ponlas formando capas con rodajas de cebolla en una fuente para horno. Vierte por encima caldo de verduras o pollo. Por último, cúbrelo con algún queso curado y sabroso y métalo al horno.*

CHIRIVÍAS

Por su dulce sabor a tierra y su alto contenido de almidón son un alimento reconfortante y rico en nutrientes cuando no se toleran bien los ingredientes ácidos o de sabor fuerte. Son útiles en un huerto casero porque pasan el invierno en la tierra, lo que convertirá tu jardín en un minisupermercado.

BUENO PARA TI, BUENO PARA EL BEBÉ

Las chirivías son ricas en vitamina C y ácido fólico, cobre y manganeso. También contienen vitaminas B, vitamina K, magnesio y potasio. Contiene mucha fibra, y más de la mitad es soluble, lo que puede frenar las oscilaciones de azúcar en la sangre. Los compuestos fenólicos de las chirivías se han relacionado con el alivio de enfermedades cutáneas; también fortalecen el sistema cardiovascular.

CONSEJOS DE COMPRA

Las chirivías pequeñas o de tamaño medio son menos propensas a tener una textura leñosa o lanuda; las grandes tendrán el centro duro. No las compres si están blandas o tienen manchas o imperfecciones. Si tuvieran hojas verdes, córtalas antes de guardarlas para evitar la pérdida de humedad.

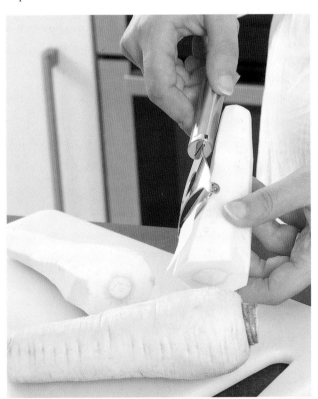

PLATOS RÁPIDOS Y SENCILLOS

- *Rocía la chirivía asada con un poco de sirope de arce y semillas de sésamo.*
- *Ralla la chirivía y mézclala con maíz dulce y pimiento rojo cortado en dados; lígalo todo con huevo, forma pequeñas empanadillas y fríelas por ambos lados.*

CULTIVO Y RECOLECCIÓN

Siembra semillas recién compradas; algunas personas las siembran en cucuruchos de papel de periódico rellenos de abono para macetas. Siémbralas a mediados de primavera, o incluso a finales, para tener mayor probabilidad de éxito. Su lento crecimiento mantiene ocupado el cantero de chirivías la mayor parte del año, así que tenlo en cuenta al diseñar tu huerto. Intercala arañuelas para alejar a las moscas de la zanahoria.

Si tu suelo es poco profundo, siembra variedades cortas y gruesas en lugar de las alargadas y estrechas.

Una dosis de escarcha acentúa el sabor y el dulzor de las chirivías, así que déjalas en la tierra durante el invierno y ve recogiéndolas a medida que las vayas necesitando. Marca las posiciones para que puedas encontrarlas una vez que mueran las hojas.

TRUCOS DE COCINA

- No hace falta pelar las chirivías más tiernas, basta con que las raspes bien y las laves con abundante agua fría.
- Sírvelas en forma de puré, como alternativa al de patatas; pueden sustituir a la zanahoria en los sofritos.
- Añádelas a los guisos de invierno enteras o en mitades.
- Corta las chirivías por la mitad o en cuartos y ponlas en la bandeja del horno durante 30 minutos cuando hagas carne asada para que los sabores se mezclen.

ZANAHORIAS

Las zanahorias son la prueba de que si disfrutas comiendo alimentos saludables durante el embarazo, tu bebé hará lo mismo por instinto. Un estudio dice que los niños cuyas madres disfrutaron tomando zumo de zanahoria durante la gravidez, lo aceptaron con entusiasmo junto a su papilla de cereales.

BUENO PARA TI, BUENO PARA EL BEBÉ

Las zanahorias son los vegetales más ricos en betacarotenos y una buena fuente de vitaminas C y K y potasio. También contienen vitaminas B_1 y B_6, manganeso, un poco de ácido fólico y mucha fibra. Los alimentos ricos en carotenoides son buenos para la piel, la vista, el sistema inmunológico y los pulmones, y pueden estabilizar los niveles de azúcar en la sangre. Parece ser que el fitonutriente falcarinol protege el colon. Las zanahorias son consideradas diuréticas y son un remedio tradicional para sanar la retención de líquidos. Los nutrientes se concentran justo por debajo de la piel.

CONSEJOS DE COMPRA

Las zanahorias tienen que ser duras: las blandas han perdido la mayor parte de los nutrientes. Cuanto más intenso sea el color de las zanahorias, más betacarotenos tendrá. Si los manojos conservan las hojas, estas te ayudarán a calcular lo frescas que son por el estado de las mismas, pero córtaselas antes de guardarlas para evitar que las zanahorias pierdan humedad. Cómpralas ecológicas: se ha identificado la zanahoria como uno de los doce alimentos más contaminados con pesticidas.

Las zanahorias en lata también son una buena elección; el proceso de enlatado hace que los carotenoides sean más fáciles de absorber por el cuerpo.

CULTIVO Y RECOLECCIÓN

Las zanahorias son delicadas a la hora de germinar y asentarse. Siémbralas con pocas hojas para evitar tener que podarlas después (eso atrae a las moscas de la zanahoria), o siémbralas en macetas para engañar a las moscas (que vuelan horizontalmente). Para poder echar buenas raíces, las zanahorias necesitan un suelo fértil, con buen drenaje, profundo y de primera calidad, así que pídele a alguien que te eche arena, abono orgánico y estiércol el otoño anterior.

Las diferentes variedades de zanahoria maduran a lo largo de todo el año: hay variedades tempranas que se cosechan a mediados de verano, como la de tipo Nantes, y otras que se cosechan la primavera siguiente, como las Chantenay, de forma más alargada y sabor muy delicado. Las zanahorias redondas son graciosas y apropiadas para los suelos menos profundos, o para cultivarlas en macetas.

Arranca las zanahorias todavía pequeñas (del tamaño de tu dedo meñique) si deseas servirlas crudas. Cuando

Aunque el dicho de que si comes muchas zanahorias tendrás un niño pelirrojo y con mucho temperamento sea un cuento de viejas, lo cierto es que estas hortalizas están repletas de vitaminas.

la temporada esté más avanzada, levántalas cuidadosamente con una horca para que no se partan.

TRUCOS DE COCINA

- Para conservar los nutrientes, no peles las zanahorias, basta con que las raspes un poco (utiliza productos ecológicos).
- Cocina las zanahorias para que el cuerpo aproveche mejor los betacarotenos. Cómelas con algún tipo de grasa para asimilar mejor los betacarotenos.
- Parte las zanahorias por la mitad y métalas en el horno como mínimo durante media hora con un trozo de carne.

JENGIBRE

El jengibre es un remedio natural excelente para cuando te sientas con poca energía y las náuseas te debiliten. Varios estudios han demostrado que el jengibre alivia de forma segura y eficaz las náuseas típicas del embarazo, incluso las más graves. Guarda galletas de jengibre al lado de la cama y bebe ginger-ale cuando necesites levantar el ánimo.

La raíz fresca tiene más propiedades beneficiosas que el jengibre seco o en polvo. El jengibre caramelizado, tomado en pequeñas cantidades, es un manjar. El jarabe de jengibre es práctico para endulzar el té. Si vas a comprar o tomar un refresco de jengibre, antes comprueba que esté hecho de jengibre prensado en frío.

BUENO PARA TI, BUENO PARA EL BEBÉ

El jengibre contiene gran cantidad de potasio, magnesio, cobre, manganeso y vitamina B_6. Sus propiedades frente a las náuseas proceden del ingrediente que le da su característico sabor: el amargo gingerol, un compuesto fenólico muy antioxidante y que tiene propiedades analgésicas y antibacterianas. La proteasa del jengibre tiene un efecto antiinflamatorio.

Muchos estudios han demostrado la eficacia del jengibre a la hora de evitar los mareos causados por un viaje; otros lo han encontrado más eficaz que un placebo a la hora de controlar las náuseas y los vómitos típicos del embarazo. El jengibre también es un remedio tradicional contra el frío. Los herbolarios recomiendan jengibre para combatir el estreñimiento y los gases, aliviar los calambres, tonificar los músculos de la pelvis, tratar afecciones intestinales y favorecer la digestión.

Para poder utilizar la raíz de jengibre en la cocina, primero hay que pelarla y luego rallarla.

La cantidad óptima para tratar los vómitos típicos del embarazo es de 250 mg repartidos en cuatro tomas diarias. Consulta a tu médico si estás tomando anticoagulantes. Parece que el jengibre inhibe la coagulación de la sangre, por lo que será mejor que dejes de tomarlo semanas antes de dar a luz.

CONSEJOS DE COMPRA

Si compras raíz fresca de jengibre, rompe un trozo y comprueba que esté jugosa y poco fibrosa. La piel tiene que ser brillante. Evita los ejemplares arrugados.

 GROSELLAS NEGRAS Y FRAMBUESAS

Grosellas y frambuesas son, probablemente, uno de los tentempiés más deliciosos. Es mejor comerlas frescas porque muchos de los beneficios para la salud derivan de las antocianinas, compuestos fenólicos que se destruyen durante el procesamiento. Sin embargo, las grosellas negras rara vez se comen crudas ya que son muy ácidas. A diferencia de las frambuesas, no siempre están en los supermercados. Puede que tengas que comprarlas en los mercados agrícolas o cultivarlas en casa.

El té de hojas de frambuesa (véase página 35) es la infusión de hierbas más conocida de entre las que se recomiendan durante el embarazo para fortalecer el útero y recuperar la salud tras dar a luz.

FRAMBUESAS

GROSELLAS NEGRAS

BUENO PARA TI, BUENO PARA EL BEBÉ
Tanto las grosellas como las frambuesas son ricas en vitamina C; unas cuantas grosellas contienen más que un limón. La frambuesa es muy alta en manganeso y también contiene vitaminas B y ácido fólico. Ambas son una excelente fuente de fibra. Las grosellas tienen más potasio que los plátanos y son una de las pocas fuentes vegetales de ácido gamma-linolénico, un ácido graso esencial.

La enorme capacidad antioxidante de las frambuesas se debe a los elagitaninos y las antocianinas (moléculas flavonoides), que también son las responsables del color y de propiedades antimicrobióticas y antiinflamatorias de las bayas. Las frambuesas congeladas tienen propiedades antioxidantes parecidas a las frescas. El aceite de semilla de frambuesa contiene vitamina E y ácidos grasos omega-3; también protege la piel del sol.

Las hojas de las frambuesas rojas son ricas en hierro y comúnmente se utilizan durante el tercer trimestre de embarazo para tonificar los músculos de la pelvis y del útero, lo que ayudará a que las contracciones sean más eficaces. Los herbolarios también las recomiendan para combatir las náuseas y el sangrado de las encías, así como para aliviar los dolores de parto. Después de dar a luz, las hojas se recomiendan para acelerar la curación y estimular la producción de leche.

Muchas comadronas aconsejan no tomar té de hojas de frambuesa sin el consejo de un herbolario hasta la semana 36. Entonces parece seguro tomar progresivamente de una a tres o cuatro tazas al día, y unos sorbos durante el parto.

CONSEJOS DE COMPRA
Evita comprar cestas que contengan bayas demasiado maduras, mohosas o blandas. Las frambuesas no soportan bien el transporte; las locales serán sin duda más maduras y tendrán mejor textura.

CULTIVO Y RECOLECCIÓN
Si estás perezosa, puedes dejar crecer las grosellas negras en forma de arbusto; si te apetece trabajar un poco más, átalas a una espaldera o a una valla, lo que puede quedar espectacular y te resultará útil cuando no puedas inclinarte. Siembra las grosellas y las frambuesas durante los letárgicos meses de invierno; corta los tallos para estimular la nueva cosecha. Abona la planta y cúbrela con pajote en primavera.

La variedad de jardín es la frambuesa roja europea *Rubus idaeus*, mientras que la variedad más valorada como tonificante uterino a lo largo de la historia es la frambuesa roja salvaje estadounidense *Rubus strigosus*. Se ha demostrado que *Rubus idaeus* contiene ácido cafeico, que puede suprimir las hormonas del embarazo y que se ha relacionado con las manchas y los abortos.

Por esta razón, muchas comadronas no la recomiendan durante el primer trimestre.

Corta las ramas viejas una vez que hayan dado frutos: la fruta volverá a crecer en los nuevos tallos del año siguiente. Las frambuesas siempre necesitan de un soporte, así que házselo atando varios alambres entre unos postes. También puedes sembrar variedades de otoño para obtener una inesperada cosecha tardía.

Protege las cañas con una red para ahuyentar a los pájaros. Recolecta las bayas cuando se desprendan con facilidad del cogollo blanco. Cómelas de inmediato.

TRUCOS DE COCINA

- Pon grosellas y frambuesas en los cereales del desayuno.
- Prénsalas y mézclalas con yogur.
- Haz mermelada de grosella para suavizar su acidez.
- Sirve la carne de venado o del pescado azul con salsa de la grosella roja para contrarrestar las grasas.

TÉ DE HOJAS DE FRAMBUESA

Si encuentras el sabor de este té demasiado astringente, sustituye la mitad de las hojas de frambuesa por la misma cantidad de escaramujo o de bálsamo de limón. Muchos médicos aconsejan no tomar este té hasta el tercer trimestre.

20 g de hojas secas de frambuesa roja
Miel al gusto

Colocar las hojas en una tetera y agregar medio litro de agua recién hervida. Dejar reposar durante 10 minutos. Colar directamente en una taza y endulzar al gusto con la miel. Dejar enfriar el té y colarlo en un recipiente si se desea conservarlo para tomarlo más tarde. Taparlo y meterlo en la nevera. Se puede volver a calentar o tomar frío.

REFRESCO PARA ALIVIAR LAS NÁUSEAS MATUTINAS

Las vitaminas C y K ayudan a aliviar las náuseas matutinas. Prueba este refresco al levantarte de la cama. La grosella, la fresa y el kiwi son ricos en vitamina C; además, el kiwi contiene vitamina K y las fresas, ácido fólico.

250 g de fresas
2 kiwis maduros
125 g de grosellas negras
300 g de azúcar glas

Retirar las hojas de las fresas, pelar y cortar el kiwi en rodajas y cortar la parte superior e inferior de las grosellas. Colocar la fruta en un cazo, añadir el azúcar y un litro de agua y llevar a ebullición. Cocer a fuego lento, sin dejar de remover, durante 5 o 10 minutos o hasta que se deshaga la fruta. Verterla en un colador sobre un bol y presionar la fruta con una cuchara de madera para extraer la mayor cantidad de zumo y pulpa posible. Verterlo en una botella esterilizada. Taparlo y dejar que se enfríe. Guardarlo en la nevera. Antes de tomarlo, diluye un poco de refresco en agua fría, caliente o con gas.

⏚LECHUGA

Seguramente la lechuga nos parecerá cada vez más apetitosa a medida que nuestra barriga vaya creciendo porque contiene una combinación de vitaminas, minerales y fitonutrientes que ayuda a llevar adelante un embarazo saludable. Si tienes problemas de sueño, come una ensalada o un sándwich de lechuga antes de ir a dormir: las hojas tienen un conocido efecto soporífero.

BUENO PARA TI, BUENO PARA EL BEBÉ
La lechuga, una rica fuente de vitaminas A, B, C, K y ácido fólico, con buenas cantidades de manganeso, cromo, potasio y hierro, también contiene calcio y ácidos grasos omega-3, fibra y proteína. Las lechugas de hoja suelta contienen más nutrientes, ya que las hojas han recibido más luz. Las variedades de hojas rojizas, como la lollo rosso, contienen quercetina, un flavonol antioxidante. Según un estudio, las mujeres que comían lechuga a diario tenían los huesos más fuertes.

CONSEJOS DE COMPRA
Cuanto más corto sea el camino entre la tierra y el plato, más sabrosa será esta planta. Compra lechugas de hojas verde oscuro, crujientes y jugosas. Las lechugas envasadas en plástico tienen poca vitamina B_{12}. Compra lechugas ecológicas, pues la lechuga es uno de los alimentos que más conserva los residuos de plaguicidas.

Las variedades de lechugas se dividen en dos grupos: las que tienen cogollo y las de hoja suelta. Entre las primeras se encuentran la trocadero, que es suave y sabrosa; la lechuga iceberg, que suele ser insípida e incolora, y la lechuga romana, que es sabrosa y resiste bien la manipulación. Algunas de las lechugas que no tienen cogollo o de hoja suelta son las de las variedades hoja de roble, lollo rizada y lechuga «catalogna», que tiene las hojas alargadas y dentadas en forma de flecha. La tierna lechuga trocadero se marchita antes que la iceberg, que es más fácil de transportar y se mantiene durante más tiempo, por lo que es uno de los alimentos básicos e insípidos de los supermercados.

CULTIVO Y RECOLECCIÓN
Cultiva tus propias lechugas acogolladas, así como las que se cortan y vuelven a crecer rápidamente, que no resisten bien el transporte hasta los supermercados. Siémbralas cada dos semanas en suelo suave y fértil

PLATOS RÁPIDOS Y SENCILLOS
• *Haz una vinagreta para aderezar la lechuga con una parte de vinagre balsámico por cada seis de aceite de oliva; añade un chorrito de limón, sal marina y pimienta negra, un toque de mostaza en grano y miel derretida, todo bien batido.*

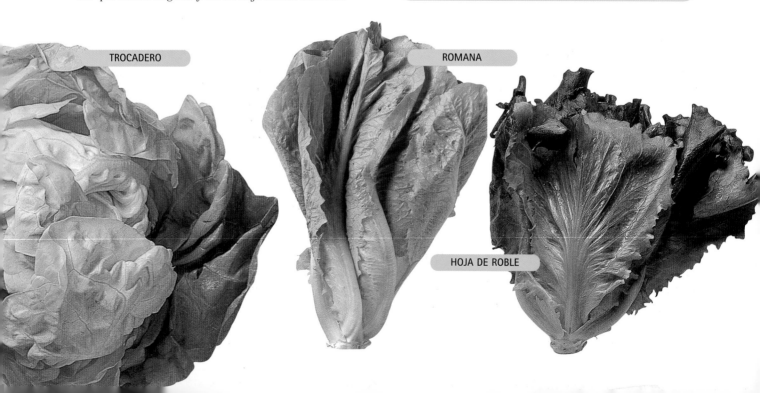

TROCADERO

ROMANA

HOJA DE ROBLE

para tener una buena cosecha y evitar que crezcan demasiado. Prueba las bolsas de cultivo o a plantarlas en la parte delantera de un bancal elevado. Vigila la aparición de babosas y caracoles.

Cómetelas el mismo día que las recojas. Las lechugas romanas y las redondas se cogen enteras. Con las de hoja suelta, puedes ir arrancando las hojas que vayas a utilizar (véase página 40): corta unas cuantas hojas de una vez, o corta por encima de las hojas inferiores y deja que vuelva a crecer la planta.

TRUCOS DE COCINA
- No cortes las hojas con un cuchillo; pártelas con las manos para evitar que se marchiten y se oxiden (y pierdan nutrientes).
- Seca bien las hojas para que el aliño se pegue en ellas.
- Haz una ensalada de lechuga, espárragos y guisantes para aumentar al máximo la ingesta de ácido fólico.
- Si las náuseas te quitan el hambre, comienza por comer un poco de lechuga; parece que estimula el apetito.
- Sirve crujientes hojas de lechuga romana a modo de cuchara para mojar en las salsas.

HOJAS DE MOSTAZA

Si te apetece comer ensalada en invierno, cuando hay menos oferta de lechugas, come verduras de hoja orientales: el komatsuna, u hojas de mostaza, tiene un sabor intenso, muy fuerte, parecido al de las espinacas, que pueden estimular el paladar más saturado. La mizuna tiene un suave sabor a mostaza, mientras que el berro tiene un ligero sabor picante y está lleno de nutrientes.

BUENO PARA TI, BUENO PARA EL BEBÉ
Cargadas de vitaminas C y K y de betacaroteno, las hojas de mostaza también contienen ácido fólico, manganeso, vitaminas B_6 y E y magnesio. Estos brotes también contienen calcio, que cuando se encuentra junto a la vitamina B_6 y el ácido fólico, como ocurre aquí, fortalece la salud del sistema óseo. Las hojas de mostaza son del género del brócoli, y comparte muchos de sus beneficios para la embarazada (véase página 14); crudas tienen más ácido fólico que el brócoli.

La tradición popular inglesa dice que las semillas de las plantas de mostaza fomentan la concepción, mientras que en Bangladesh se esparcen fuera de la sala de parto para alejar a las personas que deseen el mal del bebé.

CONSEJOS DE COMPRA
Las hojas de mostaza son fáciles de encontrar en los mercados agrícolas. Elige las de hojas oscuras y evita las de hojas amarillentas o con manchitas. Si no toleras bien los sabores fuertes, pídele al vendedor que te deje probar un poquito antes de comprarla.

CULTIVO Y RECOLECCIÓN
Siémbralas a finales de verano y principios de invierno para poder cosecharlas en invierno, y riégalas con abundante agua a medida que vayan creciendo para evitar que se espiguen. Vuelve a sembrar a principios

HOJAS DE MOSTAZA

Las hojas de mostaza darán un original toque de sabor a tu ensalada, además de proporcionar todos los nutrientes que tu bebé y tú necesitáis.

de primavera para obtener otra cosecha. Las hojas de mostaza crecen mejor en las repisas de las ventanas orientadas al sur, más soleadas.

Puedes cortar solo las hojas que vayas a utilizar (véase página 40); corta por encima de las hojas inferiores y deja que las plantas vuelvan a brotar una y otra vez hasta la primavera.

Cuanto más crezca la mizuna, más fuerte de sabor será.

TRUCOS DE COCINA
- Haz ensaladas y sándwiches con hojas tiernas; añade las hojas más verdes a los sofritos o guisos.
- Retira el tallo central cuando utilices las hojas para hacer una ensalada.
- Sirve hojas de mostaza cocidas con judías picantes y arroz como guarnición.

TOMATES

TOMATES

Muchos estudios avalan los beneficios del tomate para la salud cardiovascular y ocular, pero un estudio llevado a cabo en la India en 2004 confirmó que las mujeres embarazadas que tomaron diariamente extracto de tomate desde el principio de la gestación tuvieron menos riesgo de sufrir preeclampsia y sus bebés se desarrollaron bien. (La cantidad diaria de licopeno fue el equivalente a una cucharada de salsa de tomate.)

A pesar de las numerosas variedades de tomates que ofrecen los supermercados, es imposible igualar el sabor de un tomate del huerto madurado al sol y recién cogido de la

mata. Es muy fácil plantar tomates cherry en una cesta colgante junto a la ventana, o en macetas, y eso te permitirá comenzar el día aspirando el rico aroma de las hojas.

Si te apetece mucho comer tomates, toma un vaso de zumo de tomate por la mañana. Si te gusta el ketchup, cómpralo ecológico: algunos estudios dicen que contiene el triple de licopeno que los procesados.

BUENO PARA TI, BUENO PARA EL BEBÉ

Los tomates son muy ricos en vitamina C y contienen buenas cantidades de betacaroteno, vitamina K, potasio y manganeso; también proporcionan vitaminas B y ácido fólico, cobre y hierro, fibra y algunas proteínas. Los tomates son la principal fuente alimentaria de licopeno, antioxidante carotenoide que protege el ADN contra las especies de oxígeno reactivo, es antiinflamatorio y refuerza la salud coronaria. Un estudio concluía que las mujeres que ingerían más tomates corrían menor riesgo de sufrir alguna enfermedad coronaria. El licopeno es más potente en el tomate cocinado, y la salsa de tomate es una de sus mejores fuentes.

CONSEJOS DE COMPRA

Los tomates procedentes de cultivos locales suelen ser más sabrosos porque se pueden coger maduros, aunque las nuevas variedades de tomates cherry han sido modificadas para que sean mucho más dulces y sabrosas. Cuanto más rojo sean los tomate, más licopeno contienen. Los tomates de pera son los más indicados para cocinar, ya que tienen más pulpa y menos semillas.

Para saber lo frescos que son los tomates observa el cáliz: debe estar verde y vivo. Es difícil encontrar tomates sabrosos fuera de la estación de cosecha (de finales de verano a principios de otoño). Puedes sustituirlos por tomates de pera enlatados, que se recolectan maduros. Los tomates secados al sol en aceite de oliva son muy buenos para consumir durante el invierno.

CULTIVO Y RECOLECCIÓN

Los tomates son muy fáciles de cultivar si se tiene un largo, luminoso y cálido verano. Las variedades arbustivas son perfectas para los espacios pequeños,

Cuanto más rojos son los tomates,
más licopeno contienen.

además de que no hay que tutorarlas ni podarlas. Las enanas también son ideales para plantarlos en macetas. Cuanto más grande sea la maceta, mayor será la posibilidad de obtener una buena cosecha: limítate a dos plantas en cada bolsa de cultivo.

Los tomates cherry son más fáciles de cultivar en el exterior en climas más fríos. Las variedades de tomate, no necesitan tutorar y crecen bien en macetas y cestas colgantes. No los riegues demasiado mientras esté creciendo el fruto; los más sabrosos son los que se benefician del árido clima mediterráneo.

Recógelos cuando estén bien maduros. Si todavía no han acabado de madurar hacia el final de la estación, córtalos y cuélgalos para que maduren dentro de casa.

TRUCOS CULINARIOS

- Cómete las semillas: los nutrientes se concentran en la sustancia gelatinosa que las rodea.
- No los peles: es en la piel donde está el licopeno.
- Prensa los tomates pera enlatados con los dedos, como se hace en Italia, en lugar de cortarlos.

TOMATE BEEFSTEAK

TOMATES CHERRY

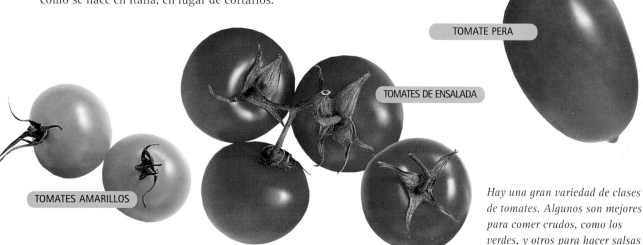

TOMATE PERA

TOMATES DE ENSALADA

TOMATES AMARILLOS

Hay una gran variedad de clases de tomates. Algunos son mejores para comer crudos, como los verdes, y otros para hacer salsas y sofritos, como los de pera.

PLATOS RÁPIDOS Y SENCILLOS

- *Corta los tomates maduros en rodajas y alíñalos con un chorrito de aceite de oliva, sal marina, pimienta negra y unas hojas de albahaca.*
- *Para hacer una salsa con tomates muy maduros, simplemente córtalos, ponlos en un cazo, tápalos y déjalos al fuego 15 minutos. Se puede congelar en porciones.*
- *Asa tomates frescos enteros, cebollas cortadas en cuatro trozos y un diente de ajo; úsalo para acompañar la pasta, el cuscús o sobre pan tostado.*

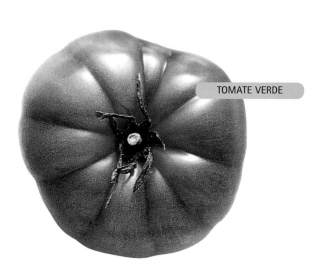

TOMATE VERDE

tomates

PARA DAR Y TOMAR

Tener un suministro constante de verduras y frutas frescas es importante para conseguir las vitaminas, minerales y nutrientes de origen vegetal que más necesitarás durante el embarazo, como la vitamina C y el ácido fólico. Bastan unas macetas en ventanas o terrazas para cosechar verduras como lechugas, ajos o limones durante todo el año.

Planta varias lechugas y corta unas cuantas hojas de cada una para hacerte una ensalada diaria. Si las plantas en una caja, incluso las podrás arrancar directamente en la mesa. Usa cajas de madera de embalaje, que ya tienen hechos los agujeros de drenaje. Para tener una cosecha constante, planta una caja nueva cada dos o tres semanas, desde finales de invierno hasta finales de primavera.

Para obtener sabores y texturas diferentes, necesitarás las siguientes semillas:

Lechugas de hoja suelta, como la variedad lollo rossa
Lechugas de hoja de roble
De hojas duras y pequeñas como los cogollos de Tudela.

1 Ponte unos guantes. Forra la caja de madera con un plástico resistente y haz unos agujeros en el fondo. Rellena la caja, casi hasta el borde, con abono de una bolsa de cultivo. Aprieta la tierra y riégala.

2 Siembra las semillas directamente en el suelo húmedo en filas separadas 10 cm entre sí. Alterna las variedades. Cúbrelas con una capa de tierra seca. Déjalas en un lugar fresco hasta que germinen (puede que hacia finales de primavera la tierra esté demasiado caliente para que germinen).

3 Arranca algunas hojas de los plantones cuando alcancen los 5 cm y tengan cuatro o cinco hojas (cómetelas o bien trasplántalas a otra caja). Riega cada día, si fuera necesario, pero sin mojar las hojas.

4 Comienza a cortar las hojas que te quieras comer después de tres o cuatro semanas, cuando las plantas midan entre 5 y 10 cm. Corta toda la cabeza u hojas sueltas. Las lechugas se supone que deberían volver a brotar dos o tres veces.

CÓMO CONSERVAR LOS TOMATES

Si te sobran tomates, puedes conservarlos asándolos a fuego lento y congelándolos después por hornadas. Agradecerás tenerlos preparados cuando tu bebé haya llegado a este mundo. Este proceso concentra los sabores del verano y les da un toque dulce y caramelizado.

1 Precalentar el horno a 140 °C. Lavar los tomates, secarlos con unos golpecitos y separar los tomates de la rama. Quitar los rabitos y cortar los tomates por la mitad.

2 Colocar los tomates en una bandeja para el horno formando una sola capa, con la pulpa mirando hacia arriba. Espolvorearlos con un poco de sal marina, azúcar moreno, pimienta negra y orégano. Echar un chorrito de aceite de oliva virgen extra.

3 Dejar en el horno durante 2 o 3 horas. Los tomates estarán listos cuando hayan encogido unas dos terceras partes de su tamaño. Deberían quedar secos aunque jugosos.

4 Una vez se hayan enfriado, preparar bolsas de congelación etiquetadas con el nombre y la fecha. Con una cuchara, poner en cada bolsa la cantidad necesaria de tomates para una comida familiar; congelar. En el momento de usarlos, descongelarlos y agregarlos a la pasta, la ensalada o el pan tostado.

 # AJO

En el antiguo Egipto ya se conocían los beneficios del ajo para el embarazo y el parto. El ajo también era muy valorado por las comadronas de la antigua Grecia, para prevenir infecciones, cicatrizar heridas y ponerse fuerte. Hoy en día se recomienda tomar una dosis diaria de ajo durante el embarazo para evitar resfriados e infecciones, y ayudar a prevenir las varices y la cistitis. La cantidad ideal para un adulto es de entre dos y cuatro dientes de ajo al día.

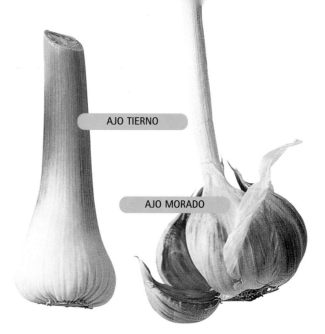

AJO TIERNO

AJO MORADO

BUENO PARA TI, BUENO PARA EL BEBÉ

Excelente fuente de magnesio, vitaminas B_6 y C, selenio, calcio y fósforo, el ajo también contiene proteínas y estimula la absorción de vitaminas. Las sustancias responsables de su olor (entre ellas la alicina) son responsables también de los numerosos beneficios para la salud. Mejoran el flujo de la sangre y tienen un efecto anticoagulante, lo cual reduce el riesgo de que aparezcan varices y de sufrir un infarto o una apoplejía. Parece que el ajo también ayuda a reducir el exceso de colesterol.

El ajo es antiinflamatorio y un potente antimicrobiano, antibacteriano, antiviral y antifúngico: previene contra los resfriados, la gastroenteritis y las aftas; y se ha podido demostrar que combate las bacterias resistentes a los antibióticos... El ajo es un buen expectorante y descongestionante cuando se está resfriado, y parece ser que ayuda a combatir la fatiga.

CONSEJOS DE COMPRA

Presiona las cabezas de ajo: tienen que estar duras y la piel entera. Desecha las blandas o con brotes. Compra ajos tiernos rosados cuando los veas, son una delicia. Los productos a base de ajo procesado de las tiendas naturistas no tienen los mismos beneficios para la salud que el ajo crudo.

CULTIVO Y RECOLECCIÓN

Si quieres plantar ajos en una maceta, elige una que sea profunda y de como mínimo 15 cm de ancho. Hacia el

final del otoño, selecciona varios dientes de ajo que sean grandes y colócalos a unos 4 cm de profundidad en abono para macetas bien drenado, con el extremo en punta hacia arriba (un diente por maceta). Luego puedes olvidarte de ellos (riégalos si la tierra está seca). Al ajo le gusta el frío y echará brotes verdes y frescos a lo largo del invierno.

Las cabezas de ajo estarán listas para su cosecha a mediados de verano, cuando las hojas comiencen a amarillear, pero puedes cortar y comer los brotes verdes a partir de la primavera. Las primeras cabezas de ajo —ajos verdes— son especialmente suculentas y picantes. Los ajos se cosechan cavando con una horca y con cuidado alrededor de las cabezas para que salgan enteras. Déjalas al sol una semana para que se sequen, o cuélgalas dentro de casa en un lugar bien ventilado. Para trenzarlos y poder colgarlos, humedece las hojas y entretéjelas.

TRUCOS DE COCINA

- Se pueden cortar las partes verdes de los ajos en crecimiento y utilizarlas para hacer ensaladas, o como si fueran los cebollinos.
- Después de picar o machacar el ajo, espera unos minutos antes de usarlo para que libere la mayor cantidad de alicina posible.
- El ajo crudo tiene más poder antibacteriano: machácalo y agrégalo a las vinagretas.
- Hornea dientes de ajo enteros durante 30 minutos para hacer que surja su dulzor natural. Unta el puré resultante en una tostada.
- Si encuentras muy fuerte el ajo crudo, cuécelo a fuego lento en un poco de agua o leche hirviendo para suavizar su sabor.
- No metas ajo en el microondas: destruye sus propiedades anticoagulantes.

PLATOS RÁPIDOS Y SENCILLOS

- *Machaca y mezcla unos dientes de ajo, una anchoa y aceite de oliva; unta una rebanada de pan y gratínala.*

CEBOLLETAS Y CEBOLLINOS

CEBOLLETAS

Las cebolletas son simplemente cebollas jóvenes cosechadas antes de que crezca el bulbo, mientras los tallos todavía están verdes y frescos.

La familia de la cebolla eleva el valor nutricional de cualquier comida y la hace más saludable; además, es útil para mantener a raya la tos y los resfriados. Las cebollas verdes o cebolletas son más valoradas por sus hojas que por sus diminutos bulbos. Los cebollinos chinos son más gruesos y más acres —como el ajo— que los cebollinos corrientes. Desde la época medieval, se atribuye a las cebollas la capacidad de estimular la producción de leche materna. Los miembros más pequeños de la familia de la cebolla crecen fácilmente en macetas.

BUENO PARA TI, BUENO PARA EL BEBÉ
Las cebollas son una buena fuente de cromo y vitamina C, a la vez que proporcionan manganeso, vitamina B_6, potasio, ácido fólico, fósforo y cobre. La familia de la cebolla es rica en fibra. El flavonoide quercetina protege la flora intestinal y es antioxidante y antiinflamatorio.

Las cebollas comparten muchos de los beneficios del ajo (véase página anterior), ya que tienen los mismos compuestos antimicrobianos, antibacterianos y anticoagulantes. Estos no se pierden durante la cocción. La cebolla también estimula los jugos gástricos, lo cual favorece la digestión, y parece que disminuye los niveles de azúcar en la sangre.

CONSEJOS DE COMPRA
Escoge bulbos de cebolla duros que tengan las hojas verdes y crujientes. Evita las que tengan las puntas blandas y blancas o amarillentas. Huele las cebollas antes de comprarlas: las variedades más olorosas tienen más fitonutrientes protectores de la salud.

CULTIVO Y RECOLECCIÓN
Las cebolletas crecen bien en macetas. Crecen mejor a partir de las semillas, en abono para macetas. Siembra unas pocas cada dos o tres semanas (para tener cosechas sucesivas)

desde principios de primavera hasta principios de verano, y cómete las que recojas. Les gustan los espacios soleados. Con los cebollinos, es más fácil sembrar plantas jóvenes que semillas, o dividir un grupo que ya existe.

Las cebolletas estarán listas cuando tengan unas doce semanas. Afloja la tierra con una horca de mano antes de sacarlas para que no se rompan. Para que los cebollinos vuelvan a brotar, pódalos muy bien después del primer año.

TRUCOS DE COCINA
- Corta la cebolleta en diagonal (y los bulbos) para saltearla; corta los cebollinos con tijeras.
- Agrega cebollinos a las ensaladas y purés de patata.
- Los cebollinos dan un ligero sabor picante a las salsas de pescado; van bien con la tortilla francesa.
- Utiliza los brotes y las flores de los cebollinos para decorar las ensaladas.
- Se pueden guardar en el cajón de las verduras de la nevera hasta una máximo de tres días.

PLATOS RÁPIDOS Y SENCILLOS
- *Pica las cebolletas muy finitas y mézclalas con tomate, zumo de lima y cilantro para hacer una salsa dulce.*

cebolletas y cebollinos

LIMONES

Esta fresca y alegre fruta del color del sol te levantará el ánimo cuando te duela todo y lleves semanas sin verte los pies. Si tienes náuseas, comienza el día con un vaso de agua caliente con un chorrito de limón y un poco de miel (le puedes añadir un poco de jengibre).

BUENO PARA TI, BUENO PARA EL BEBÉ

El limón es una de las mejores fuentes de vitamina C, que además proporciona potasio. Los flavonoides protegen el ADN y tienen propiedades antibacterianas, mientras que los fitoquímicos limonoides estimulan la desintoxicación natural del cuerpo y reducen el colesterol. Cuanto más maduro esté el fruto, mayores serán sus propiedades antioxidantes.

Los aromaterapeutas utilizan aceite esencial de limón para dar masajes a las embarazadas y tratar así los problemas digestivos y los síntomas de estrés; también lo usan como tónico reconstituyente. De cualquier manera, deja el tratamiento en manos de un profesional.

CONSEJOS DE COMPRA

Escoge limones completamente maduros, con la piel fina (para que tengan más zumo), y que sean pesados para su tamaño. Los limones ecológicos sin encerar son más seguros: tienen menos capas de productos químicos, lo que es importante si vas a rallar la cáscara y comértela, pero cómpralos frescos, ya que se marchitan y pudren más rápido que los encerados. Intenta encontrar variedades más pequeñas, dulces y aromáticas en los mercados agrícolas, como los limones Meyer, un cruce de limón y mandarina; o busca variedades especiales como el superácido limón siciliano o los limones de Sorrento, gordos y dulces.

LIMONES

Se cree que el olor del limón recién cortado alivia las náuseas matutinas (o prueba con dos gotas de aceite esencial de limón en un pañuelo de papel).

CULTIVO Y RECOLECCIÓN

Los limoneros pueden comprarse en macetas, con flores y limones. En los climas más fríos, pon el tiesto dentro de casa durante el invierno o bajo un techo de cristal.

Los limoneros necesitan compost de ericáceas (tierra ácida con un pH menor de 7), y un buen riego y drenaje. Si quieres que mantengan el follaje lustroso y la vistosa fruta en el árbol, aliméntalo durante el invierno con abono rico en oligoelementos. Trasplanta el limonero a una maceta mayor a medida que vaya creciendo. Resiste la tentación de coger los limones hasta que no hayan madurado del todo.

TRUCOS DE COCINA

- Para extraer la máxima cantidad de zumo, calienta el limón entre las palmas de las manos.
- Utiliza la cáscara, fuente concentrada de limonoides y limonenos. Ten cuidado de no llevarte la piel blanca de debajo cuando ralles la cáscara, ya que es amarga.
- Echa un chorrito de limón en el pescado y en los garbanzos, potenciará su sabor.
- Rocía la fruta cortada y las alcachofas con zumo de limón para que no se oxiden.
- Si encuentras limones de Sorrento, córtalos en rodajas muy finas y sírvelas como guarnición para carne asada, con aceite de oliva y un poco de sal marina.

PLATOS RÁPIDOS Y SENCILLOS

- *Añade zumo de limón al agua con gas, como saludable alternativa a las bebidas carbonatadas.*
- *Mezcla zumo de limón con aceite de oliva, ajo, mejorana fresca, sal y pimienta y utilízalo para marinar el pollo o el cordero.*
- *Combina zumo de limón con aceite de oliva para hacer un suave aderezo para ensaladas.*

FRESAS Y ARÁNDANOS

Las fresas, que tienen más cantidad de vitamina C que los limones, son una delicia perfecta durante el embarazo. En un estudio (reseñado en la revista *Epidemiology*), las embarazadas que comieron muchos alimentos ricos en vitamina C tuvieron menos riesgo de sufrir preeclampsia. También es muy sano comer arándanos durante el embarazo. Según varias pruebas, los arándanos cultivados son la cuarta fruta o verdura más antioxidante (los silvestres ocupan el segundo puesto), mejor que el vino tinto.

BUENO PARA TI, BUENO PARA EL BEBÉ

Las fresas y los arándanos son una fuente excelente de vitamina C, y también proporcionan manganeso. Las fresas tienen también yodo y potasio, grandes cantidades de ácido fólico, vitaminas B, ácidos grasos omega-3, magnesio y cobre, mientras que los arándanos proporcionan vitamina E. Ambos frutos son buenas fuentes de fibra. Sus componentes fenólicos —las antocianinas— son los responsables del bonito color de estos frutos y de sus propiedades antioxidantes. Es suficiente comer 20 fresas para registrar un aumento de la actividad antioxidante en la sangre. Los fenoles también tienen una acción antiinflamatoria.

Los arándanos fortalecen el sistema cardiovascular; el ácido elágico y la pectina que contienen también contribuyen a una buena salud intestinal. Sus taninos estimulan la salud del tracto urinario y previenen contra infecciones del mismo modo que los arándanos agrios.

CONSEJOS DE COMPRA

Las fresas de gran tamaño suelen ser insípidas. Las fresas silvestres son diminutas pero tienen un intenso sabor.

Aunque se pueden encontrar durante todo el año, no hay nada mejor que una fragante fresa madura recién cogida. Compra las que te vayas a comer y no las guardes. Rechaza las cestas que tengan una sola fresa mohosa o blanda; las verdes siempre sabrán ácidas. Cómpralas ecológicas, ya que las fresas son uno de los alimentos con más probabilidad de estar contaminados con pesticidas.

Los arándanos maduros son de color negro amoratado oscuro; si tienen manchas rojas o verdes, sabrán ácidos. Los arándanos se arrugan con el paso del tiempo, así que escoge los que sean regordetes y suaves.

Ten presente que los arándanos congelados son la mejor fuente de nutrientes fuera de la temporada de cosecha de tu localidad.

Aficiónate a las fresas durante el embarazo
(y antes de quedarte embarazada, si es posible).
Ocho fresas de tamaño medio proporcionan
cerca del 9 por ciento de la dosis diaria
necesaria de ácido fólico.

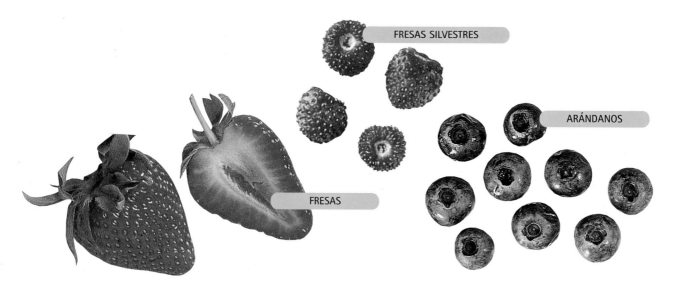

FRESAS SILVESTRES

ARÁNDANOS

FRESAS

CULTIVO Y RECOLECCIÓN

Las fresas son tan fáciles de cultivar en tiestos que existe una maceta especial para ellas. Asegúrate de que la tierra sea fértil y que les dé el sol. Las macetas para cultivar fresas están diseñadas para que la fruta no toque la tierra. Pon una capa de grava o trozos de terracota en la base de la maceta (véase página 18) y rellénala con tierra hasta el primer nivel de agujeros. Coloca una planta de modo que salga por cada uno de los agujeros. Añade tierra hasta el siguiente nivel y repite hasta alcanzar el borde. Coloca la maceta en un lugar soleado y riégala cada vez que sea necesario. A los arándanos les gusta la tierra ericácea, las macetas grandes y la tierra húmeda. Poda las ramas viejas (son más oscuras) y las muertas durante el invierno.

Para tener siempre frutos, planta variedades tempranas y tardías. Es fundamental plantar arándanos autopolinizantes si no tienes sitio para diferentes ejemplares. Las plantas son muy productivas: podrás coger fruta durante semanas.

Arranca las fresas en cuanto maduren o se las comerán los pájaros. Aunque los arándanos les resultan menos atractivos, cuelga un CD del arbusto para disuadirlos. Recoge los arándanos cuando estén oscuros y duros.

TRUCOS DE COCINA

- Come arándanos crudos —las antocianinas se pierden durante todos los procesamientos excepto la congelación— y tan frescos como puedas; al almacenarlos pierden ácido fólico y vitamina C.
- Cuanto más madura esté la fruta, más cantidad de antioxidante contendrá.
- Si puedes conseguir arándanos ecológicos cultivados en casa, no los laves; lavarlos los estropea.
- Realza el sabor de las fresas con pimienta negra.
- Añade un chorrito de limón para intensificar el sabor de fresas y arándanos.

BEBIDA ENERGÉTICA PARA EL PARTO

Los indios americanos preparaban una infusión con raíces de arándano para acelerar el proceso del parto. No lo hagas con tu planta: seguramente no es de la especie adecuada. Lo que sí puedes hacer es tomarte este refresco durante el parto para obtener energía y evitar la deshidratación, las náuseas y el dolor de cabeza.

> *250 g de arándanos*
> *El zumo de medio limón*
> *1-2 cucharadas de miel*

Quitar los rabitos de los arándanos y poner la fruta en un cazo a fuego lento hasta que suelte el zumo. Pasarlo todo por la licuadora y añadir el zumo de limón y la miel. Comprobar si está bastante dulce y agregar más miel si es conveniente. Servir con hielo y añadir agua al gusto.

PLATOS RÁPIDOS Y SENCILLOS

- *Hazte un batido de fresas, yogur y plátanos para desayunar.*
- *Mezcla arándanos con yogur griego y semillas de vainilla en la batidora.*
- *Rellena las crepes con arándanos o fresas; también puedes ponerlos por encima de los gofres.*

CÓMO HACER JARABE DE JENGIBRE

La medicina tradicional china, india y árabe usa esta raíz como tratamiento para las náuseas y los vómitos; y los ensayos clínicos modernos han demostrado que es eficaz y segura durante el embarazo. Una forma deliciosa de tomar este remedio es añadiendo un poquito de jarabe a una bebida o al desayuno. Necesitarás una botella esterilizada con un tapón.

Necesitarás:

250 g de raíz de jengibre fresca
1 limón ecológico sin encerar
250 g de azúcar mascabado

1 Lavar el jengibre y rallar la raíz muy finita en un cazo (sin pelarla). Rallar la cáscara del limón, exprimir la pulpa y agregarlo todo al cazo. Añadir el azúcar y 750 ml de agua.

2 Llevar la mezcla a ebullición removiendo hasta que se disuelva el azúcar y dejar que burbujee, a fuego medio y sin tapar, durante media hora, hasta que el jarabe se haya espesado y reducido ligeramente.

3 Pasar el jarabe por una gasa o por un tamiz para eliminar las ralladuras de jengibre y de cáscara de limón. Con ayuda de un embudo, verter el jarabe en la botella y taparla. Dejar que se enfríe por completo y guardarla en la nevera durante un máximo de dos semanas.

4 Puedes tomar un poco de jarabe de jengibre con té frío o caliente (con o sin leche); o echar 1 o 2 cucharadas en un vaso y rellenarlo de agua con gas. En el desayuno, úsalo para endulzar el yogur natural o encima de gofres o torrijas.

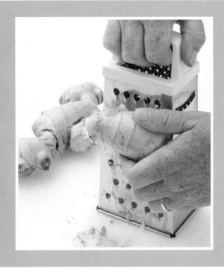

FRESCO, SILVESTRE Y SALVAJE

En el jardín se esconden alimentos frescos y silvestres cargados de nutrientes y compuestos bioactivos tradicionalmente utilizados como bebidas tonificantes para el embarazo. Ahora es el momento de cambiar de actitud: deja que te invadan las ortigas y las zarzas, y olvídate de arrancar los dientes de león del césped.

ORTIGAS · DIENTE DE LEÓN · AVELLANAS · MORAS

ORTIGAS

La ortiga, un alimento olvidado, es una de las plantas más ricas en nutrientes y un remedio tradicional para tratar los problemas del embarazo, recomendado por herbolarios y por muchas comadronas. Sin embargo, la base de datos de medicamentos naturales de Estados Unidos considera «probablemente peligroso» su uso durante el embarazo, así que consulta a tu médico o comadrona antes de tomarla. Si tienes alguna duda, reserva esta valiosa hierba para después del parto. Te será útil para vigorizar, limpiar y tener una buena producción de leche.

Si prefieres no coger las ortigas tú misma, compra infusión de ortiga totalmente ecológica, o una infusión para el embarazo a base de ortiga.

BUENO PARA TI, BUENO PARA EL BEBÉ

Las ortigas contienen el hierro de origen vegetal que se absorbe con más facilidad, además de vitamina C, que facilita la absorción del hierro. Aportan potasio, calcio y betacaroteno y vitamina K, que van bien para los huesos; además, contienen boro, un oligoelemento que ayuda a conservar en buen estado el calcio de los huesos. Las hojas tienen muchas proteínas.

Las ortigas tienen propiedades diuréticas y pueden resultar útiles para aquellas personas propensas a padecer infecciones del tracto urinario o retención de líquidos. Algunos estudios sostienen que la infusión de ortiga alivia los síntomas de la alergia estacional: reduce los estornudos y los picores de la piel. La planta puede frenar las pérdidas de sangre localizadas, por lo que los herbolarios las utilizan para tratar las hemorroides y prevenir las hemorragias. También parecen ser eficaces en el tratamiento de problemas gastrointestinales. Las ortigas son un analgésico tradicional efectivo durante el parto; después se utilizan para recuperar la energía y aumentar la producción de leche.

No tomes nunca extractos concentrados; las ortigas pueden estimular la menstruación y ser una de las causas de aborto. Evita las ortigas si estás tomando anticoagulantes, diuréticos o antiinflamatorios, o medicamentos para tratar la hipertensión o la diabetes.

SUGERENCIAS DE RECOLECCIÓN

Las ortigas crecen en el mismo sitio cada año. Busca la planta durante la primavera en sitios húmedos y sombreados con suelo fértil, cerca de los ríos. La ortiga de uso medicinal es la *Urtica dioica*, reconocible por los numerosos y diminutos pelos urticantes situados en el tallo y debajo de las hojas.

Coge brotes enteros durante la primavera (de un máximo de 15 cm de alto) para comerlos como verdura. Para preparar infusiones, coge solo las hojas jóvenes (estíralas hacia abajo) antes de que la planta comience a florecer unas semanas después. No las cojas después de que la planta haya echado flores. Descarta las ortigas que crezcan cerca de las carreteras con mucho tráfico, ya que pueden tener adherida una capa de partículas de polvo de metal pesado. Ponte unos guantes gruesos (los pelillos pueden traspasar el algodón) y córtalas con las tijeras de la cocina. Para secar las hojas, cuélgalas por el tallo en un lugar seco y bien ventilado hasta que estén crujientes; guárdalas después en un recipiente hermético, en un lugar fresco y oscuro.

INFUSIÓN PARA LA LACTANCIA

Tómate esta infusión después de dar a luz. La ortiga y el escaramujo son ricos en hierro, y la vitamina C del escaramujo facilita su absorción. La menta le da un toque de sabor.

1 bolsita de ortiga
1 bolsita de escaramujo
1 bolsita de menta

Colocar las bolsitas de hierbas en una olla con medio litro de agua hirviendo. Dejar reposar durante 10 minutos; tomar la infusión con un poquito de miel.

TRUCOS DE COCINA

- No te preocupes por los pelos urticantes; desaparecen al secar o hervir la ortiga.
- Lava bien las hojas para eliminar los restos de tierra y los bichitos.
- Reserva los tallos tiernos para cocinarlos.
- Cómete solo las hojas tiernas; las viejas se vuelven amargas y fibrosas.
- Cuece las hojas al vapor con el agua de lavarlas; añadir más agua estropea el sabor y los nutrientes.
- Usa las hojas tiernas como si fueran espinacas.
- Sustituye la albahaca del pesto por ortigas escaldadas.

PLATOS RÁPIDOS Y SENCILLOS

- *Combina la ortiga con queso feta, pasas y piñones para hacer tartas.*
- *Para hacer una infusión de ortiga, pon 20 g de hojas secas en una tetera con medio litro de agua hirviendo; déjalo reposar 10 minutos. Si usas una bolsa para infusiones, pon una cucharada de hojas secas y déjalo reposar 5 minutos. Como la ortiga es diurética, acompáñala con un vaso de agua.*

DIENTE DE LEÓN

Aunque se considera una plaga, el sabor a nueces de las hojas tiernas lo convierte en un sabroso complemento para las ensaladas. Podrías probar el café de diente de león si estás dejando de tomar café normal o descafeinado.

BUENO PARA TI, BUENO PARA EL BEBÉ

El diente de león es una fuente muy útil de potasio, hierro, calcio, zinc, betacaroteno (contiene más que las zanahorias) y vitaminas B, C y D. La planta tiene efectos diuréticos (sin fomentar la pérdida de potasio, como la medicina convencional) y es un laxante suave.

Los herbolarios utilizan extracto de diente de león para facilitar la digestión, cuidar la flora intestinal y estimular el apetito; también puede regular los niveles de azúcar en la sangre. Puede recomendarse durante el embarazo para

PLATOS RÁPIDOS Y SENCILLOS

- *Prueba el sándwich de pan integral con mantequilla, sal, pimienta, hojas tiernas de diente de león y un chorrito de zumo de limón.*
- *Hazte una ensalada de hojas frescas de diente de león con huevo duro y una vinagreta tibia.*
- *Cuece las hojas al vapor y sírvelas con ajo o un poco de nuez moscada.*
- *Para hacer una infusión de diente de león, pon una cucharada de hojas secas en una bola para infusiones dentro de una taza, añade agua hirviendo y déjalo reposar durante 5 minutos.*

aliviar las náuseas y las molestias digestivas, pero consulta a tu médico o comadrona antes de tomarlo. La planta refuerza la función hepática y también se utiliza para tratar la hipertensión. Toma el diente de león con moderación, ya que es rico en vitamina A. Evita su ingesta si eres alérgica a la familia de las margaritas o al yodo.

SUGERENCIAS DE RECOLECCIÓN

Corta las hojas tiernas, antes de que la planta florezca; las hojas viejas son más duras y amargas.

TRUCOS DE COCINA

- Lava bien las hojas para eliminar los restos de tierra y los bichitos.
- Igual que se hace con las lechugas, rompe las hojas —en lugar de cortarlas— para evitar que se oxiden los bordes.

AVELLANAS

Las avellanas son un antiguo símbolo de fertilidad, quizá porque son los primeros arbustos en dar señales de vida al principio de la primavera, tanto si son silvestres como cultivados, y su fruto se puede comer durante todo el invierno. Si donde vives hay avellanos silvestres, sal a pasear para localizarlos y saber dónde podrás coger avellanas en otoño.

BUENO PARA TI, BUENO PARA EL BEBÉ

Las avellanas son una de las fuentes más ricas en vitamina E, manganeso y cobre, y contiene cantidades impresionantes de vitaminas B y ácido fólico, así como fósforo, magnesio y hierro. Es el fruto seco de árbol con más cantidad de ácido fólico, y además proporciona proteína y fibra. Contiene proantocianidinas, una sustancia que se relaciona con la reducción de la coagulación de la sangre y de las infecciones del tracto urinario. Las avellanas son una fuente muy buena de grasa: casi el 75 por ciento es monoinsaturada, y menos del 4 por ciento corresponde a grasas saturadas.

El aceite de avellana es muy apreciado para dar masajes por su delicada textura y dulce aroma (haz una prueba cutánea si eres alérgica a los frutos secos).

SUGERENCIAS DE RECOLECCIÓN

Si quieres llegar a las avellanas antes que las ardillas, comienza a buscarlas a finales del verano. Date un paseo por la zona de avellanos y recoge las que se hayan caído al suelo, señal de que están maduras. Tira de las ramas hacia abajo con la ayuda de un palo para coger las avellanas de las ramas (no te subas a una escalera).

También las encontrarás en las tiendas, verdes y tiernas en verano o tostadas y duras en otoño y en invierno. Las avellanas tostadas sin cáscara duran más tiempo frescas que las que tienen cáscara. Guárdalas en un recipiente hermético, en un lugar fresco y oscuro, ya que la luz hace que las grasas se pongan rancias y la humedad lleva a la oxidación.

TRUCOS DE COCINA

- El horno intensifica el dulzor natural de las avellanas. Extiende uniformemente las avellanas con piel en una bandeja para el horno y ásalas durante 10 minutos a 180 °C, removiéndolas de vez en cuando. Para pelarlas (la piel puede ser amarga), envuélvelas en un trapo de cocina durante unos minutos y luego frótalas para que se desprenda la piel.

- Trocea avellanas y añádelas al muesli o ponlas por encima del yogur o del helado.
- Come avellanas con chocolate negro: es la combinación de los bombones llamados *gianduja*.
- Añade avellanas picadas a la masa de los pasteles o galletas.
- Tritura unas cuantas avellanas. El polvo obtenido puede sustituir a la harina para hacer pasteles o espesar guisos y sopas.

PLATOS RÁPIDOS Y SENCILLOS

- *Tuesta las avellanas y agrégalas a una ensalada de hojas tiernas de espinaca y trocitos de pera.*
- *Dale un toque de sabor al arroz blanco con un puñado de avellanas sofritas en mantequilla o aceite de avellanas.*
- *Sirve espárragos blancos o verdes con un aliño hecho a base de avellanas picadas, aceite de avellana, zumo de limón, sal y pimienta. Espolvoréales por encima parmesano rallado.*

MORAS

Las moras silvestres crecen en abundancia, tienen una larga temporada de cosecha y pueden ser más valiosas para la nutrición durante el embarazo que muchos alimentos cultivados o transportados desde la otra punta del mundo.

Las variedades cultivadas no tienen ni el sabor ni la acidez de las moras silvestres. Una vez cogidas se conservan poco (más o menos un día), así que lo mejor es coger las que te vayas a comer el mismo día o las que puedas congelar (la congelación conserva los nutrientes).

BUENO PARA TI, BUENO PARA EL BEBÉ

La mora, fuente excelente de vitaminas C y E, betacaroteno, potasio y calcio, contiene más ácido fólico que la mayoría de las frutas, solo superada por la fresa. También es muy rica en fibra (hasta un 20 por ciento de su peso). El color morado indica la presencia de antocianina, uno de los muchos compuestos fenólicos de la fruta (las moras son las bayas que más compuestos fenólicos tienen). Las moras aportan ácido elágico, de efecto antiviral y antibacteriano, que sobrevive aunque se cocine la fruta. Estos potentes antioxidantes son buenos para la salud cardiovascular y tienen propiedades antiinflamatorias.

El refresco de mora es un remedio tradicional para combatir los dolores de garganta y las dolencias respiratorias.

SUGERENCIAS DE RECOLECCIÓN

La mora estará lista para su recolección desde mediados de verano hasta, sorprendentemente, bien entrado el otoño. Se sabe que está madura porque se separa con facilidad del cogollo blanco. Ponte siempre guantes gruesos y manga larga para protegerte de las espinas.

MORAS

Las moras de la familia de las rosáceas son uno de los alimentos más beneficiosos durante el embarazo.

PLATOS RÁPIDOS Y SENCILLOS

- *Limpia las moras, córtalas por la mitad y tritúralas hasta obtener un puré. Cuela el puré para quitar las semillas. Añádele azúcar glas y viértelo encima de helados o tortitas.*
- *Haz un postre sencillo mezclando moras con un poco de merengue y nata montada.*
- *Haz una salsa cociendo un puñado de moras en vino tinto u oporto con un poquito de miel.*

TRUCOS DE COCINA

- Las primeras moras son las mejores para comerlas como fruta; utiliza las siguientes para cocinar y las últimas para hacer mermelada.
- Cuando hagas mermelada o gelatina, añade alguna fruta rica en pectina, como la manzana, el limón o las frambuesas, para espesarla.
- Haz refresco de moras maceradas en vinagre de sidra para combatir los resfriados y los dolores de garganta.
- Cocinar las moras no destruye la vitamina E ni la fibra, así que utilízalas abundantemente en mermeladas y postres.
- Suaviza el sabor amargo de las moras mezclándolas con manzanas.
- Congela las moras en bolsas pequeñas. Pon en cada una la cantidad suficiente para hacer un pastel y disfrutar los aromas (y nutrientes) de la estación de la cosecha en mitad del invierno.

PECES DE AGUA DULCE Y PECES DE AGUA SALADA

El pescado y el marisco son especialmente beneficiosos durante el embarazo ya que son ricos en ácidos grasos omega-3, estructuras fundamentales para la formación del cerebro, los ojos y el sistema nervioso de tu bebé. Las algas marinas son útiles por su rica mezcla de vitaminas y minerales, entre los que se encuentra el yodo, también importantes para el desarrollo del cerebro. Habla con el pescadero, él será tu mejor fuente de información, te explicará cuál es la mejor temporada de cada pescado y te aconsejará formas de cocinarlos. También puedes pedir que te envíen el pescado a casa: es el modo más fácil de que viaje directamente del anzuelo al plato.

PESCADO AZUL • MARISCO • ALGAS MARINAS

PESCADO AZUL

Según varios estudios, los bebés cuyas madres comieron mucho pescado durante el embarazo son más inteligentes; además, suelen dormir bien, por lo que las madres se recuperan más rápido del parto y son más felices. Puede que hayas oído hablar de los contaminantes que contiene el pescado: tranquilízate, ya que los investigadores que han estudiado los efectos que tiene comer pescado azul sobre la salud de la madre y su bebé dicen que los beneficios superan con creces a los riesgos.

BUENO PARA TI, BUENO PARA EL BEBÉ

El pescado azul, la mejor fuente de ácidos grasos omega-3, que estimulan el desarrollo del cerebro, los ojos y el sistema nervioso de tu bebé, también contiene vitaminas B y D, betacaroteno, magnesio, calcio y proteínas muy fáciles de asimilar. Numerosas investigaciones han demostrado que el pescado azul que come la madre durante el tercer trimestre de gestación estimula el desarrollo cognitivo, sensorial y motor del bebé. También ayuda a la madre a dormir mejor, hace que aumente el peso del bebé y contribuye a que el niño tenga buena salud cuando crezca. Además, acelera la recuperación después del parto, y reduce el riesgo de sufrir depresión posparto. Continúa comiendo pescado azul mientras des el pecho: los ácidos grasos omega-3 hacen que la leche materna sea más beneficiosa para el cerebro de tu bebé.

SALMÓN

La caballa, el arenque, la trucha, las sardinas y el salmón son las fuentes de ácidos grasos omega-3 más ricas.

La grasa del pescado azul es la fuente de su valor nutritivo; por otro lado, almacena metilmercurio, que los peces absorben tanto de las aguas contaminadas como de los peces más pequeños de los que se alimentan. Este mercurio se acumula en tu cuerpo al comer pescado y se tarda por lo menos un año en eliminarlo (amamantar cumple muy bien esta función, al bombear toxinas hacia el bebé). El mercurio es un conocido teratogeno que puede atravesar la placenta y, en grandes dosis, llegar a dañar el cerebro y el sistema nervioso del bebé. El pescado azul también puede estar infectado con otros agentes contaminantes, como dioxinas y policlorinatos de bifenilo (PCB). A pesar de esto, los beneficios que reporta para la salud comer pescado y dar de mamar son mucho mayores que los riesgos.

Para obtener el máximo provecho de las buenas cualidades del pescado azul sin dejar de velar por tu salud, no comas más de dos raciones a la semana (el atún en lata no cuenta) de las diferentes variedades de pescado azul de los niveles bajos de la cadena alimentaria. No comas más de dos filetes de atún o cuatro latas de bonito del norte de tamaño medio a la semana. Es mejor evitar las latas de atún blanco, ya que pueden contener mayor cantidad de mercurio.

Evita el pescado crudo. En algunos países se recomienda que las embarazadas no coman salmón ahumado debido al riesgo de contraer listeriosis.

CONSEJOS DE COMPRA

El mejor lugar para comprar pescado fresco recién descargado del barco es la lonja del puerto. Si esto no es posible, busca un pescadero que lo compre directamente de los pescadores. No hace falta que vivas cerca del mar: busca alguna pescadería en internet que te lo lleve directamente a casa.

Si haces la compra en un supermercado, escoge productos procedentes de una pesca sostenible: mira que estén etiquetados individualmente, que tengan una certificación de pesca sostenible o que luzcan el logotipo del Consejo para la Administración Marina (MSC por sus siglas en inglés). La pesca artesanal es la mejor para el medio ambiente y ofrece productos de mejor calidad que las piscifactorías. Compra pescado fresco, expuesto sobre hielo en armarios frigoríficos. Si prefieres el congelado, comprueba que el envase no está roto, sobre todo si escoges el producto de la parte de arriba de la pila.

SARDINAS

ANCHOAS

Las anchoas, los arenques, la caballa, el salmón salvaje, las truchas y los salmones de criaderos ecológicos tienen menos contaminantes, y no se pescan en exceso. Evita los peces depredadores que están en los niveles superiores de la cadena alimentaria y que absorben la mayor parte del mercurio, como el pez espada o el tiburón.

El pescado fresco no huele a pescado, solo tiene un ligero olor a mar, además de los ojos brillantes, las escamas lustrosas y las agallas afiladas. Presiona la carne: esta debería recuperar su forma natural. Los filetes tienen que parecer frescos y ser translúcidos.

El proceso de enlatado hace que las espinas de los peces pequeños, como las anchoas o las sardinas, sean más fáciles de digerir. Este proceso no reduce los niveles de omega-3 de las sardinas, pero sí los del atún.

El pescado que se congela rápidamente en el barco puede llegar a ser más fresco que el de los mercados.

TRUCOS DE COCINA

- Sirve el pescado el mismo día que lo compres.
- El pescado congelado que esté seco, blanco o sin color sufre de quemadura por congelación.
- Si el olor del pescado al horno te produce náuseas, tápalo con papel de plata.
- El pescado azul se hace bien a la brasa porque es graso; ásalo por ambos lados.
- Comprueba que el pescado esté bien hecho; debe quedar totalmente opaco y se tienen que poder separar las escamas con la hoja de un cuchillo.
- Puedes comer sushi si estás segura de que el pescado ha sido congelado a -20 °C durante 24 horas.
- Cómete las espinas del pescado pequeño y del salmón en lata: representan una dosis extra de calcio y fósforo.

La caballa (arriba) se puede comer durante todo el año y sabe mucho mejor cuando se hace al horno, a la brasa o al vapor. Para contrarrestar su fuerte sabor, marínala con una mezcla de vinagre, sidra y especias.

PLATOS RÁPIDOS Y SENCILLOS

- *Desmenuza varias sardinas en lata sobre una tostada de pan integral, alíñala con un chorrito de vinagre y un poco de pimienta negra y métela en el horno hasta que esté bien tostada.*
- *Añade salmón, un poco de nata para montar y pimienta negra a los huevos revueltos. Sírvelo sobre una tostada de pan integral.*

Pescado azul

MARISCO

Comer marisco es una deliciosa manera de ingerir nutrientes fundamentales durante el embarazo. Asegúrate de que el marisco se haya cocinado o congelado completamente (este proceso mata las bacterias y los parásitos), pues durante el embarazo eres más vulnerable a las intoxicaciones alimentarias.

GAMBAS FRESCAS COCIDAS

LANGOSTINO COCIDO

LANGOSTINO CRUDO

BUENO PARA TI, BUENO PARA EL BEBÉ

Todas las clases de marisco son una fabulosa fuente de calcio, yodo, selenio, hierro, zinc y proteína, y una de las mejores fuentes de ácidos grasos omega-3. Sin embargo, algunos estudios sugieren que los cangrejos pueden tener los mismos contaminantes que el pescado azul (véase página 56), así que no comas más de dos raciones de carne de cangrejo a la semana.

El marisco crudo contiene bacterias como la salmonela; las almejas, las ostras y los mejillones de aguas contaminadas son los que más probabilidades tienen de provocar una intoxicación alimentaria, aunque cocinarlos a más de 63 ºC de temperatura destruye las bacterias.

CONSEJOS DE COMPRA

Compra el marisco a un proveedor de confianza. Los langostinos y las gambas, los calamares y el pulpo, las almejas, los mejillones, las ostras y las vieiras son, todos ellos, muy buenos durante el embarazo.

Compra bivalvos vivos, tanto por seguridad como por el sabor. Si te entregan el marisco en casa, mira la fecha de caducidad para asegurarte de que han pasado menos de 24 horas desde que los cogieron. Los bivalvos de criadero se tratan con luz ultravioleta para que sean seguros. Cuando compres el marisco en el mercado, pregunta si procede de aguas limpias.

Compra vieiras frescas, no las que se venden abiertas y preparadas, y langostinos pescados con nasas. Se dice que las gambas del Atlántico Norte son las que saben mejor. Almejas, mejillones y ostras deben tener la concha cerrada; descártalos si no se cierran al darles un golpe brusco. Sírvelos el mismo día que los compres. Sin embargo, los calamares congelados conservan los

Cuando vayas a preparar calamares, asegúrate de quitarles la cabeza, la concha interna y las membranas transparentes que cubren el cuerpo. Los tentáculos, el cuerpo y la tinta son comestibles; la tinta incluso puede utilizarse para dar sabor y color al arroz y a la pasta.

nutrientes y es posible que las fibras se pongan más blandas. Si deseas comprar gambas congeladas, escoge aquellas sin cocinar y con cáscara. Las frescas tendrán los ojos relucientes y las cáscaras de un bonito color brillante. No dejes nunca gambas congeladas o descongeladas olvidadas en una habitación donde haga calor, ya que las bacterias naturales que contienen harán que se estropeen muy rápidamente y podrán provocar una intoxicación.

Las gambas son una fuente de proteínas bajas en grasa; también son ricas en potasio y zinc y contienen ácidos grasos omega-3

CANGREJO

VIEIRAS

MEJILLONES

ALMEJAS

TRUCOS DE COCINA

- No comas bivalvos crudos durante el embarazo.
- Cocina bien el marisco. Ya sean hervidas, a la plancha o fritas, las gambas deben coger una tonalidad rosa.
- Si después de cocinar almejas, mejillones y ostras las conchas continúan cerradas, tíralos.
- Arranca las hebras de los mejillones. Lávalos en agua fría y restriégalos con un cepillo de cerdas duras.
- Deja las almejas y los mejillones limpios en remojo en un bol con agua fría un poco salada durante 2 horas, cambia el agua si se ensucia. Añade un puñado de avena al agua para hacer que el marisco suelte la arenilla.
- Acompaña la pasta con almejas y un poquito de aceite y ajo.
- Si quieres que el calamar quede tierno, cocínalo muy rápido a fuego alto (durante 2 o 3 minutos), o cuécelo a fuego bajo (durante más de media hora).

PLATOS RÁPIDOS Y SENCILLOS

- *Cocina los mejillones al vapor con vino blanco, un poco de ajo y cebollinos picados muy finos (el alcohol desaparece durante la cocción). Añade crema fresca justo antes de servirlos. Acompáñalos con pan crujiente.*
- *Haz langostinos cocidos y sírvelos con salsa de chile dulce y semillas de sésamo. Acompáñalos con espárragos tiernos y una salsa de mostaza, vinagre y azúcar moreno bien batida.*
- *Sirve las gambas recién cocidas sobre una capa de lechuga cortada muy fina y con salsa de tomate picante.*

marisco

ALGAS MARINAS

Las algas marinas absorben una rica mezcla de vitaminas y minerales del mar, entre ellos el yodo, necesario para la salud de la glándula tiroides, que deberá trabajar mucho más durante el embarazo. Los herbolarios recomiendan algas marinas durante la gestación para ayudar a hacer la digestión y contrarrestar el estreñimiento, así como para fortalecer la circulación, levantar el ánimo y hacer frente a los dolores y la anemia. Puedes recogerlas tú misma y aprovechar para relajarte dando un paseo por la orilla del mar.

En las tiendas naturistas encontrarás algas japonesas deshidratadas. Vuelve a hidratarlas siguiendo las instrucciones del paquete. Las cápsulas no son ni tan eficaces ni tan sabrosas.

Las hojas de nori (laver) son las mejores para hacer sushi, mientras que el alga kombu (kelp) da un sabor ácido a las sopas; el alga verde oscuro wakame (kelp) es más suave y necesita menos tiempo de preparación. La dulce arame (kelp) va bien para los revueltos de verduras, mientras que el alga agar (carragenano) se utiliza como agente estabilizador.

MEZCLA DE ALGAS MARINAS

ARAME

KOMBU

TÓNICO DE ALGAS PARA EL PELO

Las algas marinas se usan tradicionalmente para conseguir un pelo brillante. Una investigación de la Universidad de Leeds ha descubierto que las algas han evolucionado para protegerse de las «inclemencias del tiempo» y que pueden ayudar a tu pelo a resistirlas mejor.

2 tiras de kombu, nori o arame

1 Remoja las tiras de alga en agua hirviendo durante 30 minutos. Sácalas con una espumadera y resérvalas para utilizarlas en algún guiso. Guarda el agua.
2 Lávate el pelo de la forma habitual. Sécatelo con una toalla y aplica el agua reservada en el pelo húmedo. Envuélvete el cabello con una bolsa de plástico y una toalla caliente y relájate durante 30 minutos.
3 Enjuágate el pelo, primero con agua muy caliente y luego con agua cada vez más fría.
4 Por último, sécate el pelo y péinatelo como haces normalmente.

BUENO PARA TI, BUENO PARA EL BEBÉ

Las algas marinas son algunos de los vegetales más ricos en vitaminas y minerales. Contienen betacaroteno, vitaminas C, E y K, ácido fólico y muchas vitaminas B. Tienen, entre otros minerales, el yodo, calcio, selenio, magnesio, zinc, cobre y manganeso, además de fluorina, que ayuda a conservar unos dientes y huesos sanos. Las algas marinas están llenas de fibra y son una importante fuente de proteína de origen vegetal para las personas que no comen carne. También aportan ácidos grasos omega-3. La mezcla de fitonutrientes de las algas tiene un gran valor antioxidante, conteniendo polisacáridos y péptidos que ayudan al sistema inmune, y ácido algínico, considerado útil para que el cuerpo se deshaga de metales pesados y de otros contaminantes procedentes del mar. Los herbolarios creen que las algas marinas son plantas limpiadoras y estimuladoras del sistema inmunitario, por lo que también se utilizan a modo de tónico para la piel y el pelo. Si estás vigilando el consumo de sal, las algas marinas tienen un alto contenido en sodio. Evita el alga hijiki, que puede contener arsénico, y todas las algas marinas si eres alérgica al yodo. Las algas kelp pueden ser muy ricas en yodo, así que pregúntale a tu médico si pueden suponer algún problema.

CONSEJOS DE RECOLECCIÓN

La mejor fuente de algas son las aguas no contaminadas lejos de la costa. No cojas algas cerca de instalaciones de industria pesada o plantas nucleares. Investiga la calidad del agua preguntando a la Consejería de Medio Ambiente.

El mejor momento para coger algas nuevas es la primavera y a principios de verano. La laver se recoge en otoño. Lleva una buena guía (algunas algas no son tan sabrosas, otras pueden provocar dolor de estómago y algunas están protegidas). Corta solo algas vivas y arraigadas a la roca (por encima del tallo, de forma que todavía quede parte de la hoja sujeta a la roca), y coge solo unas pocas de cada lugar.

TRUCOS DE COCINA

- No comas nunca algas marinas crudas.
- Enjuaga las algas frescas cambiando el agua varias veces para eliminar la sal y la arenilla.
- Seca las algas limpias en el horno a fuego muy bajo, hasta que se vuelvan frágiles y de color marrón oscuro. Guárdalas en un recipiente hermético.

- Remoja las algas deshidratadas durante 30 minutos antes de agregarlas a sopas y a sofritos.
- Espolvorea las ensaladas y los platos de arroz con algas secas, o utilízalas a modo de aliño.
- Tuesta las algas nori antes de utilizarlas. Acércalas a una llama durante unos segundos (sujétalas con unas pinzas), o ponlas en una bandeja y mételas en el horno precalentado durante 30 a 60 segundos.
- Cuando te apetezca un tentempié, fríe algunas algas en abundante aceite hasta que estén crujientes.
- El alga dulse es deliciosa con ensaladas, sopas, guisos o platos de verduras escaldadas.
- Añade alga wakame a sopas y ensaladas.
- El kombu reduce el tiempo de preparación de las legumbres. Agrega unas cuantas algas a la olla y cuece las judías o los guisantes como lo haces normalmente.

DULSE

NORI

Las algas marinas han sido muy importantes en la cocina oriental durante siglos. Muchas variedades se cultivan comercialmente debido a su popularidad.

PRODUCTOS DE GRANJA

La carne y los productos lácteos más saludables y éticos proceden de animales criados al aire libre que pueden absorber los valores nutritivos del sol y la hierba y observar la conducta natural de su especie. Los animales que pacen libremente tienen de dos a cuatro veces más cantidad de ácidos grasos omega-3 (que contribuyen al buen desarrollo del cerebro y el sistema nervioso de tu bebé) que aquellos criados de forma intensiva en establos con una dieta a base de cereales y soja. Los proveedores de carne ecológica deberían poder decirte de qué granja procede su carne.

AVES DE CORRAL • CARNES • HUEVOS • LECHE • YOGUR • QUESO

AVES DE CORRAL

Comer pollo es una de las formas más reconfortantes de obtener vitaminas B, minerales y proteínas necesarias durante el embarazo. Cuando quieras mimarte, hazte un pollo al horno o una sopa de pollo. ¿O por qué no comer ganso, que incluso contiene más proteínas? Cómpralos ecológicos o de granja para que la carne sea de la mejor calidad y para asegurarte de que el ave ha disfrutado de una buena vida.

BUENO PARA TI, BUENO PARA EL BEBÉ

Las aves de corral, llenas de vitaminas B, hierro, zinc, selenio y fósforo, contienen proteínas muy fáciles de asimilar. La carne oscura contiene más cantidad de minerales. Por regla general, el pollo y el pavo son menos grasos que la carne roja. Si les quitas la piel eliminarás grasas saturadas, pero serán menos suculentos, ya que el sabor y la humedad se encuentran en las moléculas de grasa. Los pollos criados de forma intensiva tienen más grasas que los criados al aire libre, debido a la falta de ejercicio y a una dieta que fomenta el aumento de tamaño. Los pollos ecológicos contienen más proteínas.

El ganso también tiene mucha menos grasa que la carne de ternera o de cordero, y contiene más proteínas que el pollo o el pavo. Picotea en la hierba, lo que resulta en un sabor campestre, parecido al de la carne roja. La grasa de ganso es buena para cocinar y una de las grasas de origen animal más saludables, ya que contiene menos grasas saturadas y más grasas mono y poliinsaturadas que la mantequilla o la manteca de cerdo.

CONEJO

A menudo se describe el sabor del conejo como el de los pollos de antes, y no deja de ser una buena alternativa. Es bajo en grasas, como el pollo, pero tiene más hierro.

CONSEJOS DE COMPRA

Compra aves de corral, que han tenido libertad para deambular al aire libre y comportarse como las aves que son (y no como máquinas productoras de carne).

Si se trata de razas tradicionales, siempre se indica en el envase (y son más caras).

Escoge pollos criados durante más tiempo que las ocho

El pollo sin piel a la parrilla o al horno y servido con verduras al vapor será una saludable comida rica en proteínas y vitaminas.

semanas de los ciclos intensivos; un período de veinte semanas o más permitirá que el sabor y los nutrientes se desarrollen.

Las aves alimentadas con cereales tienen mejor sabor porque los cereales son su alimento natural, no la soja ni la harina de pescado. Los productos ecológicos están sometidos a exigencias más rigurosas con respecto a la densidad de animales y a la dieta de las aves en las granjas.

Por lo general, durante la Navidad se puede encontrar mayor variedad de pavos —ecológicos y de corral—, pero algunas partes se venden todo el año.

FILETES DE PECHUGA DE PAVO

GANSO

TRUCOS DE COCINA

- Si quieres saber si el pollo se ha criado de forma intensiva, busca signos de quemaduras de amoníaco en las extremidades.
- Guarda el pollo dentro de un recipiente en la nevera para que su jugo no toque otros alimentos.
- Ten a mano una tabla de cocina especial para cortar carne cruda y límpiala bien cada vez que la utilices.
- Lávate bien las manos y cualquier utensilio que hayas utilizado para manejar el pollo crudo.
- Cocina bien las aves de corral; si el jugo que sale al pincharlas es rosa, necesitarán más cocción.
- Pincha la piel del ganso antes de meterlo en el horno para que salga la grasa. Pon una rejilla en la bandeja del horno para recoger la grasa, o cambia el ganso a otra bandeja a mitad de cocción; guarda la grasa para asar patatas.
- Utiliza los restos de pollo frío para hacer ensaladas o sándwiches.
- No tires la carcasa; guárdala y úsala (véase página 118) para aumentar la capacidad nutritiva y el sabor de las sopas y los platos de arroz.

El ganso no se puede criar en granja de forma intensiva, por lo que tienes garantizado que sea un ave de corral. Si tienes gallinas en casa para que pongan huevos, puedes intentar criar pollos para carne (lo que significa que tendrás que criar los machos por separado). Las razas tradicionales, que crecen más despacio, tienen más sabor.

Evita los productos procesados de pollo —empanadas, curry, fritos— ya que contienen gran cantidad de grasas y aditivos. Algunos pollos de supermercado han sido «engordados»: se les ha inyectado «caldo de pollo» o agua salada y aditivos como proteínas. Esto se hace con más frecuencia en los pollos que se utilizan para hacer alimentos procesados o que se sirven en bares y restaurantes, y que casi siempre se han criado de forma intensiva con alimentos ricos en proteínas y antibióticos. A veces la carne procede de fuentes no reguladas de fuera de la UE que permiten la adulteración de los animales. Comprueba la cantidad de sodio en la letra pequeña; el pollo sin adulterar es cien por cien pollo.

PLATOS RÁPIDOS Y SENCILLOS

- *Fríe tiras de pollo en un poco de aceite de nuez con pimientos rojos picados, cebolletas y cogollos de brócoli. Añade un poquito de salsa de soja y enróllalo con una tortita caliente.*
- *Corta el pollo en trozos y añádelo a un sofrito de cebolla, ajo, jengibre, tomate y especias. Déjalo a fuego lento durante una hora y mézclale un yogur justo antes de servir.*
- *Sofríe trozos de pollo, agrega un poco de vino blanco, tomates y boletus deshidratados con el agua en que los hayas remojado. Cuécelo a fuego lento y sírvelo con polenta.*
- *Deja marinar durante toda la noche pechugas de pavo o de pollo en yogur con ajo, cebolla, pimentón dulce y un poquito de menta; luego pínchalas en unas brochetas y ásalas a la brasa o a la parrilla. Sírvelas con una ensalada de berros.*

CARNES

La carne roja tiene tal densidad de nutrientes que basta con una pequeña ración, lo cual es útil cuando tienes un bebé dentro que no para de crecer y aplasta el estómago. Del mismo modo que tú te mereces lo mejor durante el embarazo, los animales que te proporcionan esos nutrientes tan necesarios también se merecen una vida agradable. Come carne procedente de animales criados en pastos, con los beneficios naturales de la hierba y todo el sabor de la Madre Tierra. Los animales que comen hierba en vez de piensos producen carne baja en grasas saturadas y rica en ácidos grasos omega-3; la carne también tiene mejor textura y sabor.

BUENO PARA TI, BUENO PARA EL BEBÉ

La carne roja, como la de ternera o cordero, es la mejor fuente natural de hierro y zinc, vitaminas B y proteínas. La ternera es más rica en nutrientes que el cordero, que es la más grasienta de todas las carnes rojas. La carne de venado es menos grasa que la de ternera, cordero e incluso que la de pollo, y es rica en ácidos grasos poliinsaturados. No comas hígado durante la gestación: contiene demasiada vitamina A.

El embarazo te hace más susceptible a las intoxicaciones alimentarias y a los virus estomacales, así que evita comer carne cruda y «poco hecha» porque aumenta el riesgo de infección por salmonelosis o toxoplasmosis. Esta última puede dañar el desarrollo del cerebro y los ojos del bebé. Evita comer paté si no está pasteurizado o tratado UHT para matar la bacteria de la listeria. En algunos países se recomienda no comer embutidos por el riesgo de infección por listeriosis.

CONSEJOS DE COMPRA

Si puedes, compra directamente la carne a un ganadero que practique una cría respetuosa con los animales. Los controles de la carne ecológica son los más estrictos con respecto a la densidad de cabezas de ganado, el tiempo que pasan al aire libre y la alimentación. Si vas al campo, evita el contacto con las ovejas durante la época de parición. Los animales pueden tener clamidiosis, toxoplasmosis o listeriosis, lo que conlleva riesgo de infección y aborto.

En Nepal se dice que si durante el embarazo te apetece comer mucha carne significa que vas a tener un niño.

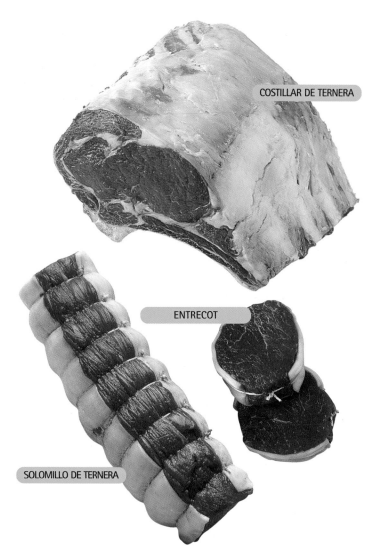

COSTILLAR DE TERNERA

ENTRECOT

SOLOMILLO DE TERNERA

Los animales que pastan en la hierba tienen mayores niveles de ácidos grasos omega-3 que los que se alimentan de cereales y soja. También proporcionan más vitaminas B, calcio, magnesio y potasio, y menos grasa. Lo bueno de la carne de cordero es que los animales se mueven libremente por el campo pastando. La cría de estos animales al aire libre cuesta dinero, por lo que la carne de animales no siempre es la más barata. Para obtener mejor calidad y más cantidad a cambio de tu dinero (y para que gane más el ganadero) prescinde del intermediario y compra directamente en las granjas o en los mercados agrícolas. Muchos ganaderos te entregarán la carne directamente en la puerta de tu casa.

Las pruebas de degustación muestran que la carne de animales alimentados con hierba (pasto en verano; heno o ensilaje en invierno) es la que tiene mejor sabor. Pregúntale a tu carnicero o al granjero cómo cuelgan la carne y cómo afecta esto al sabor y a la textura. Compra carne roja veteada (con líneas de grasa), lo que demuestra que el animal estuvo bien cuidado y llegó a la madurez lentamente y al aire libre. Los carniceros tradicionales no empaquetan la carne en plástico porque saben que tiene que respirar. Selecciona la carne que sea dura y brillante, no mojada, y que queda marcada al apretarla con el dedo.

Si te preocupan las grasas saturadas, no dejes de comer carne, prescinde solo de la carne procesada —hamburguesas, empanadas, comidas precocinadas— que suelen tener más grasas y aditivos, y que pueden contener carne recuperada mecánicamente (MRM son sus siglas en inglés). No es muy bueno comer embutidos: no sabes el tiempo que llevan almacenados ni a qué temperatura; pueden además tener la bacteria de la listeria.

Los perritos calientes y las salchichas pueden contener nitratos, por lo que es mejor evitarlos. Las salchichas y la comida preparada ecológica contienen menos aditivos.

TRUCOS DE COCINA

- Guarda la carne cruda en un recipiente en la nevera para que su jugo no toque otros alimentos.
- Consigue una tabla de cocina especial para cortar carne cruda y límpiala bien cada vez que la utilices.
- Lávate bien las manos y cualquier utensilio que hayas utilizado para manipular carne cruda.
- Cuando comas fuera de casa, pide la carne muy hecha sean cuales sean tus gustos antes del embarazo.
- Cocina la carne a la brasa o a la plancha en vez de freírla para reducir el contenido total de grasa. Para conservar el sabor y que la carne esté suculenta, corta la grasa después de cocinarla, no antes.
- Dora los trozos de carne en un poquito de aceite para «encerrar» el sabor antes de hacer un guiso.
- El consomé de carne es una sopa tradicional después del parto, ya que ayuda a recuperar las fuerzas.
- Aunque resulte extraño, las anchoas realzan el sabor de la carne de cordero. Aliña con ajo y romero la pierna de cordero antes de meterla en el horno.

PLATOS RÁPIDOS Y SENCILLOS

- *Fríe dados de carne de ternera con cebolla picada, jengibre, anís estrellado, pimienta negra y salsa de soja; añade al final cabezas de brócoli.*
- *Si deseas hacer un guiso rápido, dora unos de carne de ternera, ponlos en la cazuela con una cebolla partida por la mitad, un nabo cortado en trozos pequeños, apio, chirivías y rodajas de zanahoria y patata. Déjalo cocinar a fuego lento por lo menos durante una hora y añade col cortada en tiras justo antes de servir.*
- *Dora unos dados de carne de cordero; en otra sartén sofríe cebolla roja y ajo, berenjena y semillas de comino, añade un poquito de agua y déjalo cocinando al vapor hasta que esté gelatinoso. Acompáñalo con yogur o harissa.*
- *Fríe cebolla y jengibre con algunos dientes de ajo; añade carne de cordero picada y un poquito de cúrcuma, un par de tomates y patatas cortadas en dados; cuécelo a fuego lento.*

- Productos orientales, como la granada, la berenjena, el yogur y el limón en conserva, combinan bien con el cordero.
- La guarnición tradicional de la carne de venado son las grosellas negras o rojas; también le van bien las chirivías caramelizadas.
- Sustituye la carne de ternera por la de venado.

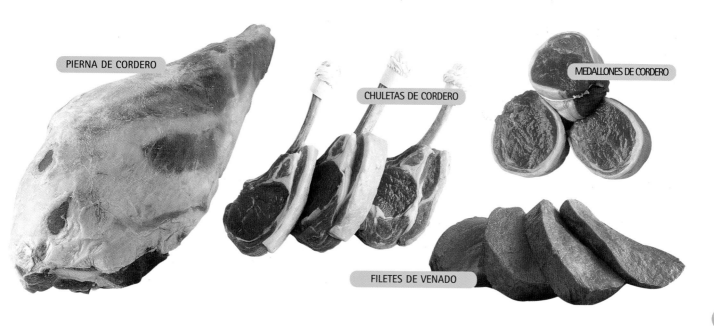

PIERNA DE CORDERO

CHULETAS DE CORDERO

MEDALLONES DE CORDERO

FILETES DE VENADO

HUEVOS

Símbolo de nueva vida y de maternidad en muchas culturas, los huevos son, sin lugar a dudas, uno de los mejores alimentos para cuidar de una nueva vida. Comienza el día tomando huevos: un estudio de la Universidad de Massachusetts descubrió que estos saciaban más que un desayuno a base de cereales.

BUENO PARA TI, BUENO PARA EL BEBÉ

Dentro de la cáscara de un huevo se encuentra todo lo necesario para que crezca un polluelo, de modo que no es extraño que los huevos sean un excelente alimento para las futuras mamás. Contienen vitaminas B_2, B_5, B_{12} y D, selenio, yodo, fósforo y colina, sin las cuales puedes llegar a tener una deficiencia de ácido fólico (cómete la yema, es ahí donde está la colina). El huevo es una fuente de proteínas mejor que la leche, el pescado, la ternera y las legumbres. Los huevos también contienen más luteína y zeaxantina —antioxidantes fundamentales para la salud ocular— que las espinacas. Los huevos de pato tienen más proteínas que los de gallina.

Evita comer huevos crudos o poco cocidos durante el embarazo para reducir el riesgo de contraer salmonela. Esto significa que no debes comer mayonesa casera ni merengue. Aunque hay pocas probabilidades de que la salmonela dañe a tu bebé, puede ser grave para ti en un momento en que el sistema inmunológico no está tan alerta como de costumbre.

CONSEJOS DE COMPRA

Compra huevos de granja ecológica: pueden contener casi diez veces más cantidad de ácidos grasos omega-3 y hasta seis veces más vitamina E que los huevos de gallina de granjas industriales. Un estudio de 2007 descubrió que los huevos de las gallinas alimentadas con hierba tenían menos colesterol y menos grasas saturadas, pero dos veces más vitamina A que los huevos de granja industrial.

Que los huevos estén etiquetados como «huevos de granja» e incluso «ecológicos» no es garantía de que las gallinas se hayan criado en el campo. Para encontrar este tipo de huevos nutricionalmente más ricos es mejor ir a los mercados agrícolas o a tiendas especializadas o bien comprárselos a personas que tengan unas cuantas gallinas.

Los huevos, que pueden ser de distintas aves, aumentan el valor nutricional de muchos platos. Los huevos de codorniz pueden comerse enteros o en ensaladas, mientras que los de pato se pueden hacer al horno y son muy populares en la cocina oriental. Con huevos de pavo o de ganso puedes preparar un desayuno abundante.

HUEVOS DE CODORNIZ

HUEVO DE PAVO

HUEVO DE GANSO

HUEVO DE GALLINA

HUEVO DE PATO

SI CRÍAS GALLINAS

Lávate las manos después de tocar las gallinas y antes de comer o de preparar la comida. Ponte unos guantes resistentes para dar de comer y beber a las gallinas y recoger los huevos. Deja que otra persona se ocupe de limpiar el gallinero. Recoge los huevos regularmente para que las gallinas pongan. Los huevos recién puestos tienen una capa protectora antibacteriana en la cáscara. Los que se compran en las tiendas se lavan antes y pierden esa capa.

Descarta los envases que tengan algún huevo roto o que se les haya pasado la fecha de caducidad. Guarda los huevos separados de los otros alimentos.

TRUCOS DE COCINA

- Coloca un huevo en agua para comprobar si es fresco; cuanto más viejo sea, más flotará.
- Lávate bien las manos, los utensilios y las superficies de la cocina después de romper huevos.
- Hierve los huevos durante 7 minutos o más para matar la bacteria de la salmonela.
- Durante el embarazo, escalfa los huevos hasta que la clara quede totalmente blanca y dura.
- Por seguridad, dale la vuelta a los huevos fritos para cocinarlos por ambos lados.
- Si no te apetece comer huevos para desayunar, toma un bizcocho hecho con huevo.

Evita comer huevos crudos o poco hechos
durante el embarazo para reducir el riesgo
de ingerir la bacteria de la salmonela.

PLATOS RÁPIDOS Y SENCILLOS

- *Prueba a desayunar unas torrijas. Moja rebanadas de pan en huevo batido con una pizca de sal y fríelas en un poco de mantequilla. Sírvelas con un poquito de canela o jarabe de arce.*
- *Agrega tiritas de salmón ahumado, pimienta negra y virutas de parmesano a los huevos revueltos.*
- *Haz un sofrito con ajo, pimiento rojo, tomates maduros y aceite de oliva; añádele rodajas de cebolla y huevos batidos y remuévelo hasta que los huevos cuajen. Sírvelo con rebanadas de pan rústico.*
- *Prepara un pudin batiendo 2 huevos enteros y 2 yemas, con 2 cucharadas de azúcar glas, 500 ml de leche entera y 1 cucharadita de esencia de vainilla. Vierte la mezcla en moldes individuales. Hornéalos al baño María cubiertos con un papel de aluminio con un agujero en el centro durante 2 horas. Sírvelos fríos con copos de almendra tostada.*

LECHE, YOGUR Y QUESO

La imagen de una vaca con su ternero es famosa como símbolo de maternidad en todo el mundo, y la leche es una necesidad diaria durante el embarazo para mantener unos dientes y unos huesos sanos y fuertes. El queso concentra la riqueza de la leche —solo necesitas un poquito para obtener las cantidades diarias necesarias de calcio y proteína–, y el yogur es tan saludable que está considerado un factor causal de la longevidad poblacional de algunas zonas del mundo. En la India, a las nuevas madres les dan una mezcla de leche, mantequilla clarificada y miel para que recobren las fuerzas.

BUENO PARA TI, BUENO PARA EL BEBÉ
La leche es una fantástica fuente de calcio y vitaminas D y K, una combinación que fortalece la salud de los huesos. También contiene betacaroteno y vitaminas B, yodo, potasio y ácidos grasos omega-3. Es un alimento rico en proteínas. Un estudio de 1999 descubrió que la leche de las vacas criadas en pastos era más rica en vitaminas. La leche entera contiene más betacarotenos y ácido linoleico conjugado (CLA según sus siglas en inglés).

Los yogures tienen la misma cantidad de vitaminas y minerales que la leche, pero proporcionan más calcio. Las bacterias de la fermentación no solo le dan ese sabor agrio tan característico, sino que mejoran el sistema inmunitario y aceleran la recuperación tras una infección. Si eres propensa a sufrir infecciones vaginales durante el embarazo, come cada día seis cucharadas de yogur. El yogur también reduce la inflamación del síndrome de colon irritable, y parece ser bueno para combatir la halitosis, uno de los posibles problemas durante el embarazo si no se puede respirar con facilidad por la nariz o se tienen problemas de encías. Un estudio demostró que comer 90 g de yogur sin azúcar dos veces al día durante seis semanas reducía los síntomas. Las investigaciones sobre la ingesta de probióticos durante el embarazo han relacionado el consumo de yogur con la prevención del eccema atópico en los bebés.

Un estudio de la Universidad de Aberdeen descubrió que el queso ecológico contiene más ácidos grasos omega-3 que la leche ecológica. Durante el embarazo es más seguro comer queso hecho con leche pasteurizada (comprueba la etiqueta), así como evitar los quesos suaves, madurados en moldes (brie, camembert, quesos de cabra con corteza blanca) o quesos azules (stilton, dolcelatte y gorgonzola). Las bacterias que pueden resultar más nocivas durante el embarazo, como la listeria, se encuentran con más frecuencia en este tipo de quesos. Estas bacterias mueren cuando se cocina el queso. Algunos de los quesos suaves que se pueden comer con seguridad son el queso feta, la ricotta, el mascarpone y la mozzarela.

CONSEJOS DE COMPRA
Escoge productos ecológicos procedentes de vacas criadas en pastos, pues tienen más sabor y más nutrientes. La leche ecológica reducirá tu exposición a las toxinas solubles en grasa tales como los pesticidas. El citado estudio de la Universidad de Aberdeen también descubrió que la leche contenía hasta un 71 por ciento más de ácidos grasos omega-3 que la leche tradicional. Los investigadores lo atribuyeron a los tréboles rojos de los pastos (una planta medicinal tradicional para el embarazo). Es más fácil encontrar leche de vaca criada en pastos en las lecherías de la localidad.

Una investigación de 1998 encontró el doble de CLA en los quesos franceses que en los estadounidenses, y esto lo

Lee la etiqueta antes de comprar leche. Los distintos tipos de leche contienen diferentes cantidades de calorías, proteínas, grasas y vitaminas A y B.

MOZZARELLA

CHEDDAR

RICOTTA

PLATOS RÁPIDOS Y SENCILLOS

- *Añade una cucharadita de miel líquida a un tazón de yogur y espolvoréalo con semillas de girasol y calabaza tostadas.*
- *Sirve yogur mezclado con pepino cortado en dados, menta, zumo de limón y pimienta negra como acompañamiento de las carnes a la brasa.*
- *Añade yogur, cebollinos y pimienta negra a las patatas asadas.*
- *Para hacer una pizza rápida, unta una baguette con tomate muy maduro, aderézala con hierbas provenzales y cúbrelas con rodajas de mozzarella. Hornéala hasta que burbujee.*
- *Corta un trozo de queso feta en dados, espolvoréalo con orégano y mézclaro con tomates maduros, trozos de pepino y aceitunas negras.*

atribuyó a que la leche procedía de vacas alimentadas en pastos. Lo mismo ocurre con los productos de otras zonas del mundo.

Compra yogures que se vendan bajo la denominación «de cultivo activo vivo» o simplemente «vivo» para estar segura de que contengan las bacterias encargadas de la fermentación de la leche, que tan beneficiosas son para la salud. Los yogures de sabor a fruta tienen más azúcares y a menudo incluyen aditivos y agentes espesantes. Siempre es más saludable comprar yogures naturales vivos y añadirle fruta fresca.

Si no toleras la leche de vaca, sustitúyela por leche de cabra o de oveja, así como por yogures y quesos elaborados con la misma, que por lo general se toleran mejor.

TRUCOS DE COCINA

- Olvídate de las bebidas de chocolate llenas de aditivos; en su lugar, calienta una taza de leche, añade 1 o 2 cucharaditas de cacao en polvo y otra de miel. Remueve bien para que se mezcle.
- Añade yogur desnatado al muesli.
- Sustituye la nata de algunos postres por yogur griego.
- Acompaña el curry y otros platos picantes con un poco de yogur para suavizarlos.
- El yogur congelado es una buena alternativa al helado.

BATIDO DE PLÁTANO

Comienza el día de forma saludable con este delicioso batido que te llenará de energía.

1 plátano maduro, pelado y cortado en rodajas
300 ml de leche
1 puñado de hielo
1 o 2 cucharaditas de miel pasteurizada

Colocar el plátano, la leche, el hielo y la miel en una batidora y batir hasta que la mezcla quede homogénea. Verter en un vaso y beber de inmediato.

leche, yogur y queso

CÓMO HACER YOGUR EN CASA

Puedes elaborar tu propio yogur con ingredientes ecológicos y de procedencia fiable. Una vez que hagas la primera tanda, tendrás que utilizar en el transcurso de una semana 2 o 3 cucharadas como base para cuajar la siguiente tanda. El lugar de trabajo debe estar impecable y debes lavarte las manos antes de empezar. Compra el yogur que usarás como base en una tienda naturista.

Necesitarás:

1 litro de leche entera
4 cucharadas de leche en polvo
2 o 3 cucharadas de yogur de cultivo activo vivo
6-8 moldes de cristal (de 150 ml) con tapas herméticas
papel film transparente (si no se usan tapas)

1 Esterilizar todos los utensilios de cocina (termómetro, olla con tapadera, cuchara de metal, taza, moldes de cristal y tapas, si vas a utilizar) metiéndolo todo en el lavavajillas en el ciclo de agua más caliente, o lavarlo bien en agua caliente con jabón y secarlo en el horno a fuego muy bajo.

2 Calentar la leche entera y en polvo en una olla hasta que alcance los 85 o 90 °C y mantenerla a esa temperatura; no dejes de remover durante 10 minutos para que no hierva. Es un modo de esterilizar la leche.

3 Enfriar la leche rápidamente sumergiendo la olla en un cuenco grande o un barreño con hielo o agua fría (no permitir que el agua llegue cerca de la leche). Dejar la olla hasta que la temperatura baje a 50 °C.

4 Retirar la olla del agua. Apartar un tazón (250 ml) de leche y añadirle el yogur. Volver a agregar la mezcla a la leche de la olla removiendo bien. Repartir la mezcla en los moldes esterilizados y tapar de inmediato, o envolver bien en film transparente.

Cuando el yogur se haya espesado y cuajado, déjalo enfriar y guárdalo en la nevera. Debería conservarse bien hasta un máximo de diez días. Puedes añadirle fruta, mermelada o miel pasteurizada justo antes de comértelo.

5 Colocar los moldes de cristal en un recipiente lleno de agua a 50 °C a fuego bajo durante 5 o 6 horas. No permitir que el agua se acerque a las tapas o al film transparente. Comprobar regularmente la temperatura (las bacterias no se reproducirán correctamente por debajo de los 37 °C y morirán por encima de los 55 °C). Ir agregando agua si fuera necesario.

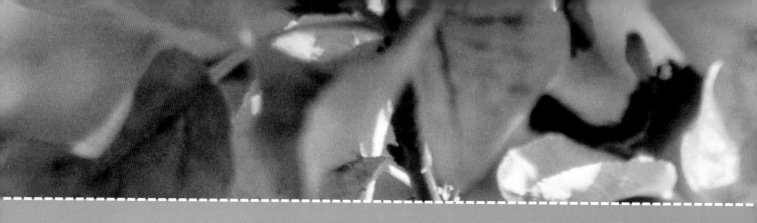
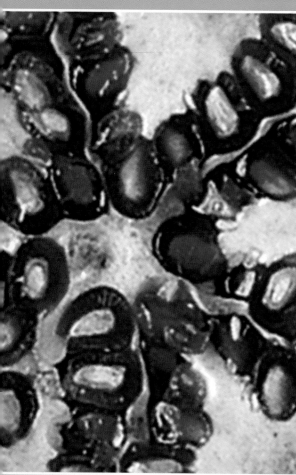

RECOMPENSAS DEL HUERTO

Las frutas y los frutos secos son tentempiés perfectos: te ayudarán a incrementar la ingesta diaria de nutrientes y fibra, y te darán energía rápidamente. Plantar tus propios árboles —algunos se pueden plantar en macetas— te permitirá elegir variedades tradicionales que no se encuentran en los supermercados a causa de su sabor o de las dificultades de su cultivo. Es costumbre plantar un manzano si se tiene un niño, y un peral si se trata de una niña.

MANZANAS • ALBARICOQUES • GRANADAS • HIGOS
NUECES • ALMENDRAS • AGUACATES • ACEITUNAS

MANZANAS

La humilde manzana es una de las mejores frutas, tanto por sus propiedades benéficas para la salud como por su sabor. De Italia a Bulgaria, la manzana se relaciona con la concepción y los milagrosos embarazos de la Virgen María y de su madre, santa Ana.

BUENO PARA TI, BUENO PARA EL BEBÉ

Las manzanas, una buena fuente de vitamina C, potasio y fibra, están llenas de fitonutrientes antioxidantes, como la quercetina, la catequina y la floridzina, unos valiosos flavonoides que se concentran en la piel y a su alrededor. La quercetina es antiinflamatoria y regula la presión arterial; la catequina también es buena para la salud del corazón, mientras que la floridzina es buena para los pulmones con asma. Se ha descubierto que si las madres comen manzanas se reduce el riesgo de que sus hijos desarrollen asma y sibilancia. Se cree que la pectina de las manzanas reduce el colesterol en la sangre.

CONSEJOS DE COMPRA

Hay manzanas durante todo el año. Las más tempranas maduran a mediados de verano y las últimas se venden hasta finales de primavera. Parece que almacenar las manzanas no reduce sus niveles de fitonutrientes. En realidad, un estudio descubrió que unas manzanas que habían estado almacenadas durante 200 días tenían casi la misma cantidad de flavonoides que cuando fueron recolectadas.

Puesto que comer la piel es importante desde el punto

de vista nutricional, compra manzanas ecológicas. Las otras pueden estar revestidas de una cera protectora hecha de petróleo. La fruta es uno de los alimentos más contaminados con pesticidas. Lava bien las manzanas antes de comértelas.

Las manzanas de los supermercados suelen ser harinosas o insípidas; muchas se recolectan cuando aún no han madurado y son variedades que se cultivan no por el sabor sino porque son más fáciles de transportar. Encontrarás manzanas mucho mejores en los mercados agrícolas de tu localidad o en granjas donde puedas coger las que te vayas a comer. Escoge las más maduras: la cantidad de antioxidantes aumenta a medida que la fruta madura. Procura beber zumo de manzana un poco turbio: la pulpa protege el sistema cardiovascular.

TRUCOS DE COCINA

- Si quieres hacer manzanas al horno, elige aquellas de textura cremosa y sabor ácido.
- En el zumo de manzana solo quedan entre el 3 y el 10 por ciento de los antioxidantes, así que cómete las manzanas enteras.
- Al cocinar la manzana, el 70 por ciento de sus flavonoides pasan al jugo de cocción; ¡úsala en los guisos!
- Lleva siempre una manzana en el bolso: te aportará el 15 por ciento de la ingesta diaria de fibra.
- Añade manzana rallada al muesli.

PLATOS RÁPIDOS Y SENCILLOS

- *Quítale el corazón a la manzana y rellénala con una mezcla de pasas, nueces, azúcar moreno y canela; ponlas al horno hasta que estén tiernas.*
- *Para hacer una conserva de fruta picada y especias, corta las manzanas en dados y mézclalas en un tarro con pasas, dátiles, clavos, canela y manteca; echa un poquito de brandy y guárdala en un lugar oscuro y fresco hastas tres meses. Puedes usarla para hacer pasteles.*
- *Haz compota de manzana cocinándolas en un poquito de agua durante 10 minutos. Puede que no necesites añadir azúcar.*

ALBARICOQUES

Los albaricoques frescos o secos (orejones) suministran muchos nutrientes útiles durante el embarazo, entre ellos la vitamina C y el potasio. Los albaricoques se han usado tradicionalmente para la infertilidad y con su aceite se hacen las lociones antiestrías.

BUENO PARA TI, BUENO PARA EL BEBÉ
Una fuente deliciosa de betacaroteno y vitamina C, potasio y fibra, los albaricoques también proporcionan fitonutrientes carotenoides, como el licopeno.

El aceite de hueso de albaricoque es alto en betacaroteno y vitaminas B, y se considera beneficioso para la piel. Alivia las inflamaciones y rejuvenece las células de la piel, y es buen aceite emoliente que viene bien incluso para pieles secas y sensibles.

ALBARICOQUES SECOS

ALBARICOQUES FRESCOS

ACEITE ANTIESTRÍAS

Por lo general, los aceites esenciales están contraindicados hasta el tercer trimestre de embarazo, aunque los que aquí recomendamos se consideran seguros durante las últimas semanas. El aceite de neroli (la flor del naranjo) es bueno para combatir el estrés, la ansiedad y el miedo; la mandarina levanta el ánimo y calma el sistema nervioso:

2 cucharadas de aceite de semilla de albaricoque
2 cucharadas de aceite de semilla de uva
1 cucharada de aceite de argán o de rosa
1 cápsula de vitamina E
4 gotas de aceite esencial de neroli y 4 de aceite esencial de mandarina durante las semanas inmediatamente anteriores al parto

Verter los aceites en un tazón, añadir el contenido de la cápsula y mezclar bien. Durante las últimas semanas, añadir alguno de los dos aceites esenciales. Remover bien antes de usar. Calentar un poco de aceite entre las palmas de las manos y masajear la parte superior de los muslos, las nalgas y los lados de la cintura, girando en la dirección de las manecillas del reloj. Si no llegas, pídele a tu compañero que te ayude.

PLATOS RÁPIDOS Y SENCILLOS
- *Rehidrata los albaricoques secos durante la noche, y sírvelos con yogur griego y un puñado de semillas para desayunar.*
- *Hazte un batido de albaricoques, plátanos y yogur para desayunar.*
- *Añade albaricoques al muesli para comenzar bien el día.*

CONSEJOS DE COMPRA
Compra albaricoques frescos solo si son regordetes y de color naranja intenso; huélelos también: si no huelen a nada es probable que tampoco sepan a nada. Puede ser difícil encontrar albaricoques maduros y sabrosos en las tiendas, aunque tal vez des con ellos en los mercados agrícolas. Si tienes un albaricoquero, cógelos cuando estén completamente maduros: cuanto más maduros sean más antioxidantes tendrán.

Son mejores los albaricoques secos que los frescos aún verdes. Si son de color naranja brillante quizá han sido tratados con dióxido de azufre y sulfitos, que pueden causarte reacción si eres asmática. Lo mejor es comprar albaricoques secos de color marrón oscuro o ecológicos.

TRUCOS DE COCINA
- Si comes albaricoques con alimentos ricos en hierro asimilarás mejor el hierro.
- Hay crepes con trocitos de albaricoques.
- Añade albaricoques secos a los estofados de estilo oriental con cordero o pollo.

GRANADAS

En la tradición popular árabe, la granada se asocia con la calidad nutritiva de la leche materna; en la mitología griega, con la maternidad de la diosa Deméter; mientras que en la tradición judía se relaciona con el mandamiento del Antiguo Testamento de «sed fecundos y multiplicaos». Esta fruta de color rubí se considera una de las más antioxidantes, y en Irán, el principal productor mundial de granadas, se recomienda sin reservas durante el embarazo.

BUENO PARA TI, BUENO PARA EL BEBÉ

Las granadas son una rica fuente de betacaroteno, vitaminas E y C (una sola fruta proporciona cerca del 40 por ciento de las necesidades diarias), vitamina B_6 y ácido fólico; también contienen potasio y fibra. Hay el triple de compuestos fenólicos antioxidantes (como taninos, antocianinas y ácido elágico) en el zumo de granada que en el té verde o en el vino tinto, no recomendados durante la gestación. Estos compuestos pueden minimizar los daños celulares y mejorar la función del sistema inmunitario y el flujo sanguíneo, evitar el engrosamiento de las arterias, reducir

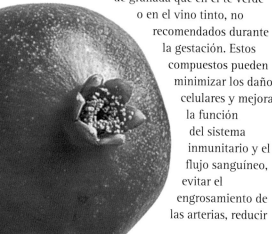

la presión arterial e impedir la inflamación. Un estudio publicado en la revista *Pediatric Research* asociaba el hecho de que la madre tomara zumo de granada durante el embarazo con una mayor protección del cerebro del recién nacido después de sufrir falta de oxígeno durante el parto. Según un estudio de la Universidad de Colorado, puede reducir el efecto de la exposición a grandes altitudes sobre las mujeres embarazadas y sus bebés. En España se recomienda el zumo de granada para aliviar el malestar estomacal y los gases. También tiene propiedades antivirales y antibacterianas. Las cremas corporales con extractos de semillas de granada son útiles para restaurar la elasticidad de la piel muy seca.

Como el zumo de uva, el zumo de granada parece interactuar con algunos medicamentos, en especial con los que se utilizan para tratar la hipertensión; consulta con tu médico y no bebas más de 335 ml al día. No comas la piel de la granada durante el embarazo.

CONSEJOS DE COMPRA

Compra granadas con la piel roja o rosa oscuro. No te preocupes si la piel no tiene muy buen aspecto, pero descarta las que tengan alguna grieta o golpe.

TRUCOS DE COCINA

- Para sacar las jugosas semillas, corta la piel áspera y la membrana amarga. Puedes cortar la fruta casi por la mitad y abrirla con los dedos sobre un tazón de agua (las semillas se hundirán) o cortarla en seis partes y vaciar la granada con los dedos. Ten presente que el zumo deja mancha.
- Si quieres hacer zumo de granada, pasa primero las semillas por la licuadora y luego el zumo por un colador fino; endulzar al gusto.

GRANADA

PLATOS RÁPIDOS Y SENCILLOS

- *Utilízalas en salsas para servir con pescado o pollo.*
- *Añade las semillas a las ensaladas, a los platos principales y a los postres para endulzarlos.*
- *Añádelas a las magdalenas.*
- *Sírvelas acompañando a los quesos.*
- *Utilízalas para dar un toque agrio a los platos de Oriente Medio.*

HIGOS

Aunque los higos secos son ricos y se encuentran durante todo el año, los frescos son una verdadera delicia: perfumados y blandos y crujientes al mismo tiempo. Ten siempre higos a mano para mantener a raya los antojos y las náuseas.

Las higueras son relativamente fáciles de cuidar excepto en los climas más fríos, y crecen bien en macetas.

BUENO PARA TI, BUENO PARA EL BEBÉ

Los higos son una buena fuente de minerales como el potasio y el manganeso, además contienen un poco de calcio, magnesio, hierro y zinc: una mezcla parecida a la leche materna. Los higos secos proporcionan vitamina B_6, ácidos grasos omega-3 y mucha fibra. La fruta seca funciona particularmente bien como laxante.

CONSEJOS DE COMPRA

Los higos frescos tienen que ser regordetes, suaves (pero no blandos), tener buen color y un aroma perfumado. Cómpralos maduros: los niveles de antioxidantes suben a medida que la fruta madura. En los mercados agrícolas probablemente verás variedades con la piel y la pulpa de colores diferentes, desde los morados a los de color ámbar. Compra higos secos ecológicos para evitar los compuestos de azufre, sobre todo si tienes asma.

TRUCOS DE COCINA

- Añádelos a los cereales del desayuno o a un yogur en cualquier momento del día.
- Te puedes comer la piel de lo higos frescos y maduros.
- Cuece higos secos a fuego lento en un poco de zumo de fruta durante unos minutos para que se hinchen un poquito.

PLATOS RÁPIDOS Y SENCILLOS

- *Hazte un batido de higos, plátano y yogur; te llenará mucho.*
- *Hazte una ensalada de higos cortados en cuartos, queso feta desmenuzado, nueces tostadas y menta picada. Alíñala con aceite de oliva afrutado.*
- *Parte unos higos por la mitad, úntalos con miel y métalos en el horno. Sírvelos con almendras tostadas y yogur griego; tendrás un postre delicioso.*

HIGOS FRESCOS

HIGOS SECOS

En la tradición india se cree que las mujeres que comen higos durante el embarazo tienen partos más cortos y se recuperan mucho más rápido.

FLOR DE HIGO

Una forma atractiva de servir higos es abrirlos para que se vea su interior. Si quieres, puedes añadir algún tipo de relleno dentro. Recorta el rabito con un cuchillo. Haz un corte profundo en forma de cruz y abre ligeramente el higo hacia fuera con los dedos.

higos

NUECES

Según la tradición china, comer nueces durante el embarazo hará que tengas un bebé inteligente. Debe de haber algo de cierto en ello ya que las nueces son muy ricas en ácidos grasos omega-3, fundamentales para el desarrollo del cerebro. Cuatro nueces al día proporcionan una saludable cantidad de ácidos grasos omega-3; conviértelas en un hábito diario si no comes pescado.

BUENO PARA TI, BUENO PARA EL BEBÉ

Las nueces, una de las mejores fuentes de antioxidantes, entre los que se encuentra la vitamina E, el selenio y un compuesto fenólico llamado ácido elágico, también contienen manganeso y cobre, y son una fuente excelente de ácidos grasos omega-3. Algunos estudios sugieren que las nueces pueden ser más útiles para mejorar la salud del corazón que el aceite de oliva; uno de sus aminoácidos, la L-arginina, estimula la elasticidad de los vasos sanguíneos. También te serán útiles una vez hayas tenido el bebé: un estudio de la Universidad de Texas establecía una correlación entre la ingesta de nueces y el aumento de melatonina en la sangre, y la melatonina estimula el sueño.

Que no te preocupe engordar: según un estudio llevado a cabo en España, las personas que como mínimo comían nueces dos veces por semana tenían menos probabilidad de engordar que las que no lo hacían. Una buena parte de sus grasas son monoinsaturadas.

El aceite de nuez se utiliza como emoliente en las mezclas de aceites para masajear las pieles secas, y se considera útil para combatir las estrías (haz una prueba cutánea si eres alérgica a los frutos secos). Se cree que cura enfermedades de la piel como eccemas e infecciones

ACEITE DE NUEZ

Las nueces son nutritivas y versátiles. Junto con las pacanas, pueden funcionar como sustitutos de la mayoría de frutos secos en numerosas recetas, desde postres hasta comidas o ensaladas.

por hongos, a la vez que estimula la regeneración de la piel y la cicatrización de las heridas.

CONSEJOS DE COMPRA

Escoge las nueces secas más pesadas y evita las que venden peladas, ya que se ponen rancias enseguida. Las nueces frescas se encuentran en las tiendas a principios de otoño. Todavía no están secas y tienen un sabor y una textura cremosos. Las mejores nueces son las que se han secado al sol: esta forma de conservación hace que duren más tiempo que las que se conservan de cualquier otro modo. En los mercados agrícolas encontrarás nueces blancas y negras; las negras son más amargas y las blancas, más dulces y aceitosas que las nueces comunes.

TRUCOS DE COCINA

- Utiliza el aceite de nuez para cocinar.
- Espolvorea las tortitas con nueces picadas y un poco de jarabe de arce.
- Añade nueces a los quesos cremosos (algunos estudios parecen confirmar que las nueces limpian la grasa).
- El sabor astringente va bien con el de las hojas frescas de espinaca y la pera madura.
- Agrégalas a pasteles y panes.
- Intenta encontrar mantequilla de nueces.
- Haz una salsa pesto de nueces húmedas en un mortero para acompañar con el pollo o la pasta.

PLATOS RÁPIDOS Y SENCILLOS

- *Haz unos tallarines con brócoli al vapor y nueces picadas. Aderézalos con limón, aceite de oliva y pimienta molida.*
- *Haz una tortilla con ajos tiernos ligeramente fritos, pimientos verdes y rojos y nueces picadas para darle más textura.*
- *Prepara un sabroso hummus con pimientos y nueces tostadas para acompañar un pan de pita o verduras crudas.*

ALMENDRAS

La almendra, el fruto seco más nutricionalmente rico de cuantos existen, es otro fruto relacionado desde hace tiempo con los embarazos saludables. En las bodas de Oriente Medio y Europa se ofrece como símbolo de fertilidad y abundancia, y según la tradición india, las almendras propician el nacimiento de niños inteligentes.

BUENO PARA TI, BUENO PARA EL BEBÉ

Un puñado de almendras proporciona una enorme dosis de manganeso, vitaminas E y B_2, magnesio y fósforo, además de un poco de cobre, potasio y calcio. Las almendras son una fuente excelente de proteínas –¡más que un huevo!–, fibra y grasas monoinsaturadas. El manganeso y el cobre trabajan conjuntamente para proporcionar energía, mientras que la vitamina E y el potasio mantienen a raya juntos la hipertensión. Un estudio dice que cuantas más almendras se consumen en una comida, menos sube el azúcar en la sangre. Cómete la piel: según un estudio de *Journal of Nutrition*, contiene una combinación única de flavonoides que reacciona con la vitamina E para doblar la carga antioxidante. Las almendras pueden tener un efecto prebiótico, lo cual refuerza la salud del tracto intestinal.

El aceite de almendras dulces es uno de los ingredientes más usados para hacer aceite para masajes.

Es bastante grasiento, de modo que sienta bien a las pieles secas y con picores. La medicina tradicional china y la ayurvédica lo recomiendan para tratar los eccemas y la psoriasis. Utilízalo para masajearte el periné entre 5 y 15 minutos durante las seis semanas anteriores al parto para prevenir un desgarramiento.

DESMAQUILLADOR NATURAL

Adecuado para todo tipo de piel, se trata de un aceite limpiador totalmente natural. Sin embargo, no lo utilices si eres alérgica a los frutos secos. Con esta receta tendrás para dos semanas. Echa unas gotas de aceite en un algodón y pásatelo suavemente por la cara para quitarte el maquillaje. Retira el exceso de aceite antes de aplicar tu crema limpiadora con una toallita para la cara mojada en agua tibia.

6 cucharadas de aceite de almendras dulces
6 cucharadas de aceite esencial de neroli

Verter el aceite de almendras en una botella de cristal oscuro esterilizada. Añadir el aceite esencial de neroli. Tapar la botella y guardarla en un lugar fresco y oscuro. Agitar antes de usar.

CONSEJOS DE COMPRA

Compra las almendras con cáscara para que se conserven mejor; asegúrate de que la cáscara no esté descolorida ni rota. Huélelas antes para comprobar que no estén rancias.

TRUCOS DE COCINA

- Ásalas y sírvelas con un poquito de sal para evitar los aditivos de los tentempiés de almendras industriales.
- Añádelas a los sofritos.
- Busca recetas de platos con almendras molidas.
- Aliña las ensaladas con aceite de almendras.

almendras

AGUACATES

La reconfortante textura y el sabor untuoso de los aguacates es apetecible incluso cuando otros alimentos te provocan náuseas. Acostúmbrate a comprarlos ahora, ya que luego también funcionarán bien como comida para bebé.

BUENO PARA TI, BUENO PARA EL BEBÉ
La pulpa del aguacate, fuente de vitamina K y potasio (más que un plátano), ácido fólico, vitaminas B_6 y C, y cobre, contiene un 25 por ciento de proteína además de fibra y grasas monoinsaturadas. El alfacaroteno, un carotenoide antioxidante, parece reducir el colesterol.

El aceite de aguacate, verde y viscoso, va bien para hacer masajes faciales: nutritivo y de una textura excelente, ayuda a mantener el tono. Pruébalo en las zonas secas y con escamas. Si durante el embarazo sufres erupciones en la piel, aplícate aguacate machacado: te puede aliviar y refrescar. Hace tiempo que se utiliza como crema para dar brillo al pelo y estimular su crecimiento. No utilices el aceite si eres alérgica al látex.

No te comas las hojas, de sabor anisado, consideradas un manjar en algunos lugares de América Latina: tienen acción abortiva (y pueden provocar un aborto).

CONSEJOS DE COMPRA
Compra aguacates blandos y maduros, a punto para comértelos; escoge los que tengan la piel muy oscura y apriétalos: deberían ceder pero no hundirse. Las piezas más duras pueden madurar en casa, pero a veces se pudren antes de ser comestibles. Guárdalos en una bolsa de papel o al lado de los plátanos para acelerar su maduración. El aguacate Hass es el más conocido, pero también se pueden encontrar los Fuerte y los Reed; estos últimos son una variedad de verano, redondo y de sabor cremoso.

TRUCOS DE COCINA
- Para quitarle el hueso, corta el aguacate a lo largo por la mitad alrededor del hueso. Retuerce las dos mitades en direcciones opuestas hasta que se separen. Golpea el hueso con un cuchillo y gíralo para sacarlo.
- Añádelo a ensaladas y sándwiches en el último minuto para que no se oxide, o rocíalo con zumo de limón.
- El aguacate está más bueno crudo que cocinado.
- El aguacate combina bien con las gambas y el zumo de lima, o con albahaca, mozzarella y tomates maduros.

AGUACATE FUERTE

El aguacate Fuerte es suave y grande, en forma de pera; la pulpa es verde claro. El aguacate Hass tiene una textura rugosa y la piel se vuelve muy oscura la pulpa es de color amarillo dorado.

AGUACATE HASS

PLATOS RÁPIDOS Y SENCILLOS
- *Corta un aguacate por la mitad y retira el hueso; vierte una cucharadita de vinagre, sal y pimienta negra en el agujero; cómetelo con una cucharilla.*
- *Mezcla aguacate picado, tomates cherry y cilantro, añade medio chile rojo picado y zumo de lima. Sírvelo como guarnición del salmón a la plancha.*

recompensas del huerto

ACEITUNAS

TAPENADE

Las aceitunas se venden aliñadas de infinidad de maneras, mezcladas con otros ingredientes o en forma de pasta (tapenade).

Elementos básicos de la dieta mediterránea, los olivos fueron considerados símbolos de fecundidad, capaces de florecer y dar frutos en un clima seco. Aunque se ha descubierto que el aceite de oliva hace bajar la presión arterial, la mayoría de los beneficios de la dieta mediterránea anunciados a bombo y platillo derivan de las frutas, verduras y legumbres en los que se basa.

BUENO PARA TI, BUENO PARA EL BEBÉ

Las aceitunas contienen hierro y cobre, pero son más conocidas por sus ácidos grasos monoinsaturados (que son ácido oleico en un 75 por ciento) y su dosis extremadamente alta de antioxidantes como la vitamina E, la clorofila y fitonutrientes carotenoides y compuestos fenólicos, que tienen propiedades antiinflamatorias, antioxidantes y anticoagulantes. Ayudan a los vasos sanguíneos a relajarse y dilatarse, lo que previene la hipertensión y reduce la formación de coágulos en la sangre. Los compuestos fenólicos también parecen ser buenos para la salud de los huesos, tener acción antimicrobiana sobre los agentes patógenos de los alimentos y solucionar los problemas gastrointestinales.

La picante sensación al final de la garganta del aceite de oliva virgen extra indica la presencia de oleocantal, que tiene poderes analgésicos y antiinflamatorios.

Puedes utilizar aceite de oliva para dar masajes; se ha empleado tradicionalmente para evitar las estrías, así como para unciones rituales.

El aceite de oliva puede ser beneficioso para el acné y las pieles secas. Contiene esculina, un ácido graso insaturado que se produce de forma natural en la piel, y se cree que es útil para estimular la elasticidad y reparar los daños medioambientales.

CONSEJOS DE COMPRA

El aceite de oliva virgen extra es el que más antioxidantes tiene. Cómpralo envasado en recipientes opacos para que conserve mayor cantidad de compuestos fenólicos. Las aceitunas tienen más valor nutricional cuando se compran frescas y sueltas o en aceite, en vez de curadas

en salmuera. Las que tienen hueso saben mejor que las deshuesadas, rellenas o marinadas.

Las aceitunas verdes y negras no son variedades diferentes; las primeras se han cogido verdes y las segundas se han dejado madurar en el árbol (a veces las negras han sido coloreadas con productos químicos).

TRUCOS DE COCINA

- Sirve en la mesa un plato con aceite de oliva para mojar pan.
- Haz aderezos con aceite de oliva y vinagre balsámico.
- Añade aceite de oliva a todos los paltos de tu menú diario para incrementar la ingesta de sus componentes, beneficiosos para la salud.
- Come aceitunas a la hora del almuerzo para mantener los niveles de azúcar estables por la tarde.
- Sustituye la mantequilla por aceite de oliva en los platos a base de patatas.
- Utilízalo para freír brócoli: algunos estudios confirman que ayuda a conservar la vitamina C y los compuestos fenólicos mejor que otros aceites.

PLATOS RÁPIDOS Y SENCILLOS

- *Si quieres hacer tapenade o paté de aceitunas, deshuesa aceitunas negras (o verdes), pásalas por la batidora junto con ajo, zumo de limón y aceite de oliva; sírvela con tostadas.*
- *Aliña las patatas hervidas con un chorrito de aceite de oliva, sal y pimienta.*

aceitunas

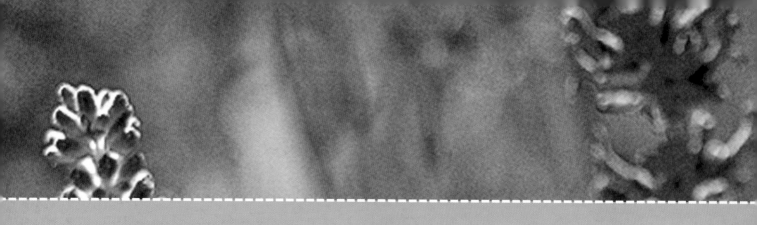

ALIMENTOS DEL JARDÍN

Aprende el arte de la relajación: durante el embarazo no es un lujo, sino una necesidad que te ayudará a salvaguardar tanto tu bienestar como la salud de tu bebé. Según varios estudios, el estrés puede ser fuente de problemas durante el primer trimestre y después del parto, así que intenta estar más tranquila durante esas semanas. ¿Hay algo mejor que descansar leyendo un libro en una terraza o un jardín lleno de plantas bonitas y beneficiosas para la salud, y que sus aromas y sonidos te arrullen hasta que te quedes dormida?

**AGUATURMAS · GIRASOLES
MIEL · LAVANDA**

AGUATURMAS

Puedes plantar estas flores amarillas, que ya cultivaban los indios americanos, en la parte trasera o en el centro de un arriate para crear una pantalla alta llena de color estival. Las aguaturmas se parecen a los girasoles, pero son mucho más fáciles de cultivar. Sus apetitosos tubérculos se cosechan en otoño, tienen un sabor delicado y ahumado y una buena cantidad de minerales esenciales adecuados durante el embarazo.

BUENO PARA TI, BUENO PARA EL BEBÉ

Las aguaturmas, una fuente excelente de potasio (tienen seis veces más que un plátano), hierro, magnesio, cobre, fósforo, vitaminas B y C y ácido fólico, también contienen proteína y fibra. La carga nutritiva se encuentra justo debajo de la piel. La mayor parte del tubérculo se compone de una fécula llamada inulina, que no todos toleramos bien y que es la culpable de la fama que tienen los tubérculos de provocar gases. Si el embarazo mismo ya te hace tener gases, comienza tomando pequeñas cantidades. Las aguaturmas contienen fructooligosacáridos (FOS) prebióticos, alimentos beneficiosos para la salud de la flora intestinal y que estimulan el crecimiento de probióticos naturales, bacterias útiles en el intestino. Esto puede ayudar a reducir las molestias intestinales.

AGUATURMAS

La piel de las aguaturmas es de color marrón clarito, aunque, según las condiciones, pueden ser rojas o amarillas. Pueden comerse crudas si antes se lavan bien y se rallan muy finas.

CONSEJOS DE COMPRA

Las aguaturmas no suelen encontrarse en los supermercados ya que son difíciles de cosechar a máquina y no soportan bien ni el transporte ni el almacenamiento. Es más probable que las encuentres en los mercados agrícolas. No compres las que hayan brotado o tengan un ligero matiz verde.

SUGERENCIAS DE CULTIVO

Esta planta de la familia de los girasoles crece con fuerza en casi todos los suelos y necesita pocos cuidados.

Echa un puñado de tubérculos (enteros o en trozos) en la tierra en primavera; tutóralas a principios de verano y espera a que florezcan a finales de verano o en otoño. Planta tubérculos procedentes de algún mercado agrícola o del huerto de algún vecino (por lo general no se encuentran en los centros de jardinería).

Arranca los tubérculos después de que salgan las flores. Se conservan bien dentro de la tierra hasta principios de primavera, y saben mejor después de una helada, cuando el almidón es más fácil de digerir.

TRUCOS DE COCINA

- Frótalas bien con agua debajo del grifo para limpiar la tierra, en especial alrededor de las protuberancias. No las peles ya que los nutrientes están bajo la piel.
- Córtalas en rodajas antes de hervirlas en abundante agua para eliminar el máximo de inulina.
- Tómalas acompañadas de jamón cocido.
- Ásalas al horno junto a las verduras de invierno.

PLATOS RÁPIDOS Y SENCILLOS

- *Corta aguaturmas y zanahorias en juliana y aderézalas con una vinagreta de aceite de nuez.*
- *Si toleras bien la inulina, puedes hacerte una sopa con aguaturma, cebolla, apio y alguna verdura.*
- *Hazte un puré de aguaturmas y patatas o chirivías cocidas.*

GIRASOLES

Estas alegres flores tienen la capacidad de hacer desaparecer la tristeza y devolvernos el optimismo. Animan incluso después de marchitarse, pues las semillas son una fuente de triptófano que estimula la producción de serotonina, que mejora nuestro estado de ánimo.

BUENO PARA TI, BUENO PARA EL BEBÉ

Las semillas de girasol, contienen importantes cantidades de vitaminas B y E, ácido fólico, hierro, niacina, manganeso, magnesio, cobre, selenio, triptófano y fósforo. El 25 por ciento es proteína. Las semillas son ricas en fitoesteroles, compuestos de origen vegetal que parecen reforzar el sistema inmunitario. Los indios americanos las toman como remedio suave, pero eficaz, para el estreñimiento.

El aceite de girasol contiene ácido linoleico, un ácido graso omega-6 del que tomamos demasiada cantidad a través de los alimentos procesados, y que puede aumentar la formación de coágulos en la sangre y suprimir el sistema inmunitario. Para reducir su ingesta y aumentar la de ácidos grasos omega-3, toma menos aceite de girasol y más pescado azul. No obstante, el aceite de girasol va bien para dar masajes porque no es demasiado graso.

CONSEJOS DE COMPRA

Como las semillas son ricas en grasas, se ponen rancias enseguida: cómpralas tan frescas como puedas y huélelas antes de comerlas. Guárdalas en un tarro hermético, en un sitio fresco. El aceite de girasol prensado en frío es el mejor.

SUGERENCIAS DE CULTIVO

Los girasoles son magníficos para los jardines nuevos ya que las raíces rompen los suelos compactos. Pero les va mejor un suelo fértil, abonado y bien drenado, donde tengan largos días soleados. Las plantas son resistentes a las sequías, pero riégalas una vez por semana y cúbrelas

En la tradición india americana, el girasol simboliza la fortaleza y la resistencia. Las semillas son un buen tentempié para tomar antes del parto.

MEZCLA DE SEMILLAS ENERGÉTICA

Este manjar es más sabroso y sano que muchas de las barritas energéticas que se venden; te ayudará a conservar la energía cuando estés lejos de casa.

2 cucharadas de cada uno de los siguientes ingredientes: almendras, avellanas y nueces picadas; semillas de girasol, pasas y albaricoques y dátiles secos y picados.
4 cucharadas de mantequilla de cacahuete
4 cucharadas de miel espesa
4 cucharadas de sésamo

Mezclar los frutos secos en una fuente con las semillas de girasol y las frutas deshidratadas. Agregar la mantequilla y la miel y hacer pequeñas bolitas con la mezcla. Rebozarlas con sésamo y dejar que se sequen sobre una hoja de papel parafinado antes de guardarlas dentro de un recipiente hermético en un lugar fresco y oscuro.

bien con mantillo. Intercala calabazas, quedará bonito y ahuyentarán las plagas. Ten cuidado con las babosas y los caracoles.

Deja que las flores se sequen en la planta; las semillas estarán en su punto cuando la parte trasera de las flores se vuelva marrón y se arrugue.

Selecciona la variedad que quieras cultivar según la costumbre local y tus gustos: hay girasoles enanos y gigantes, amarillos y naranjas. Siempre merece la pena buscar variedades autóctonas.

TRUCOS DE COCINA

- Tostar las semillas de girasol realza su sabor. Extiende las semillas formando una fina capa en una bandeja para el horno, mételas en el horno a 160 ºC durante 4 o 5 minutos y remuévelas de vez en cuando.
- Agrega semillas tostadas a las ensaladas o a las

PLATOS RÁPIDOS Y SENCILLOS

- *Haz tu propio muesli añadiendo semillas de girasol y de calabaza a la avena.*
- *Prepara un delicioso aderezo mezclando 50 g de semillas de girasol crudas con 120 ml de aceite de oliva virgen extra, el zumo de un limón pequeño, una cucharada de miel, otra de agua y media cucharadita de sal.*

verduras justo antes de servirlas, o mézclalas con un poquito de salsa de soja.
- Añade un puñado de semillas a los batidos de frutas.
- Mezcla media taza de semillas con la masa del pan antes de meterla en el horno.

MIEL

Hacen falta muchas flores y muchas abejas para producir un solo tarro de miel, de modo que cultiva plantas que florezcan durante todo el año para atraer a las abejas. La forma más fácil de conseguirlo es dejar crecer «malas hierbas» como el diente de león, los ranúnculos y los tréboles. Tradicionalmente se tenían colmenas porque las abejas polinizan los árboles frutales y se sienten atraídas por las flores de las fresas, frambuesas, moras, grosellas y todas las rosas tempraneras. También les atraen las flores azules, amarillas y lilas, la familia de las margaritas, las madreselvas, las genistas y hierbas como el romero, la lavanda y la borraja. Evita las flores dobles (muchas caléndulas y dalias), que tienen mucho menos polen.

Desde la antigüedad la miel se relaciona con la fertilidad, así que comienza el día con un zumo de limón tibio con miel.

Hay muchos tipos de miel, de colores, sabores, consistencias y calidades. Las mieles más oscuras suelen ser más fuertes.

PANAL

BUENO PARA TI, BUENO PARA EL BEBÉ

La miel contiene un 80 por ciento de azúcares naturales, que, a diferencia de otras formas de azúcar, mantienen bastante constante el nivel de azúcar en la sangre. También contiene pequeñas cantidades de vitaminas B, calcio, cobre, hierro, magnesio, manganeso, fósforo, potasio y zinc. Sus propiedades antioxidantes se deben a la pinocembrina, una sustancia química que solo se encuentra en la miel.

La miel se utiliza en los hospitales de todo el mundo para cicatrizar heridas. Algunos ensayos muestran que las incisiones de las cesáreas tratadas con miel cicatrizan mejor que las tratadas de forma convencional, lo que resulta en menos infecciones y menos días en el hospital. Otros estudios realizados en hospitales de Israel sugieren que la miel refuerza el sistema inmunitario de los pacientes. Aplícatela en cortes o arañazos para combatir las bacterias y mantener las heridas limpias, o en el rostro si te salen erupciones o manchas.

La miel también refuerza la flora intestinal, ya que contiene, según las variedades, más o menos cantidad de lactobacilos y bifidobacterias. Tómate un vaso de leche caliente con una cucharada de miel antes de acostarte para contrarrestar el ardor de estómago.

El efecto antimicrobiano de la miel va bien para los dolores de garganta y los resfriados: tómate el zumo de un limón con agua caliente y miel. Un estudio de la Escuela de Medicina de la Universidad de Pensilvania descubrió que una cucharadita de miel de alforfón era tan eficaz en el tratamiento de la tos nocturna de los niños como los jarabes convencionales.

La miel, un alimento energético, se utiliza para mejorar el rendimiento atlético y contrarrestar el cansancio; puede ayudar a mantener unos niveles óptimos de azúcar en la sangre durante y después del entrenamiento, y estimula la recuperación muscular. Tenla a mano durante el parto para edulcorar un té de hojas de frambuesa o un vaso de agua caliente; te ayudará a recuperar la energía de inmediato.

La miel es higroscópica (absorbe la humedad del aire), por eso es muy eficaz como mascarilla hidratante.

CONSEJOS DE COMPRA

Los fitonutrientes son más potentes en la miel «natural», sin pasteurizar. Es difícil encontrar miel natural en los supermercados, pero por lo general la podrás encontrar en los mercados agrícolas. Compra miel de la zona donde vives si eres alérgica, pues se cree que minimiza los efectos del polen local. La miel de Manuka, procedente de las flores del árbol del té de Nueva Zelanda es la miel antimicrobiana más famosa. Esto no quiere decir que la miel de tu zona no sea eficaz; simplemente no ha sido objeto de caros estudios. Las mieles más oscuras, como las de alforfón, de salvia y de eucalipto, y las mieles de mielada se consideran más antioxidantes y antibacterianas. La miel de eucalipto es famosa por aliviar los resfriados y los dolores de garganta.

TRUCOS DE COCINA

- Muchos médicos recomiendan tomar solo productos pasteurizados durante el embarazo, así que consulta a tu médico antes de consumir miel «natural».
- Si la miel está demasiado «dura» para extenderla, coloca el tarro en una fuente con agua caliente.
- Cuando te quedes sin energía, extiende miel sobre una tostada de pan integral o mézclala con un yogur.
- Sustituye el azúcar por miel en las bebidas calientes y en los pasteles. Como la miel es más dulce que el azúcar, usa menos cantidad.
- Nunca des miel a un bebé de menos de un año, ya que puede contener esporas de *Clostridium botulinum* y bacterias que pueden causar botulismo.

MASCARILLA PARA PIELES SECAS

Esta mascarilla facial deja la piel del rostro suave y te ayuda a relajarte, aunque solo sea porque habrás descansado durante un rato mientras la llevas. El agua de azahar se asocia a los romances y a la fertilidad.

1 aguacate pequeño y maduro
1 cucharada de miel
2-4 cucharadas de agua de azahar
1-2 cucharaditas de aceite de escaramujo

Vaciar la pulpa del aguacate y mezclarla con la miel en un bol. Retirar el pelo de la cara y limpiar los restos de maquillaje. Aplicar la mascarilla en la cara y el cuello. Descansa durante 10 o 15 minutos recostada en una almohada. Retira la mascarilla con un trozo de tela o algodón, y lávate la cara con agua tibia. Humedece un trozo de tela o algodón en agua de azahar y límpiate los últimos restos de mascarilla. Si quieres, humedécete la cara con aceite de escaramujo.

CÓMO HACER AGUA DE LAVANDA

Durante el tercer trimestre de embarazo puedes agregar un poquito de agua de lavanda al último enjuague de la lavadora para aromatizar la ropa. Úsala también para planchar la ropa de cama si quieres estimular el sueño. Además, sirve para limpiar las encimeras de la cocina y matar los gérmenes. Si no utilizas tu propia lavanda cultivada sin pesticidas, compra lavanda seca orgánica. No apliques el agua de lavanda directamente sobre la piel.

Necesitarás:

Un tarro de cristal hermético
100 g de flores de lavanda
(pesar las flores sin tallo)
250 ml de vodka
250 ml de agua destilada
Una botella de cristal oscuro
con tapón

1 Colocar las flores de lavanda dentro del tarro de cristal. Verter el vodka y luego el agua destilada; asegúrate de que el líquido cubra las flores como mínimo 5 cm. Tal vez tengas que añadir más vodka y agua. Tapar y dejar reposar durante un mes en un sitio fresco y oscuro. Agitar cada pocos días.

2 Después de un mes, colar el líquido a través de una gasa en un bol y, con unos guantes quirúrgicos, exprimir la gasa para extraer el máximo de

líquido posible. Desechar la gasa y las flores.

3 Verter el agua de lavanda con un embudo en una botella limpia, de cristal oscuro, y tapar bien. Guardar en un sitio fresco y oscuro.

4 Usar el agua en la plancha, agregarla al último enjuague de la lavadora o verterla en un vaporizador rebajada con agua para usarla como ambientador.

⬛LAVANDA

La lavanda se puede cultivar en el alféizar de la ventana, junto a la puerta o en los bordes de un bancal o parterre. Transmite su esencia con la mano. Muchas personas creen que el reconfortante y relajante aroma alivia las tensiones físicas y mentales. Aunque tradicionalmente se recomienda la lavanda para aliviar las típicas molestias del embarazo, como el insomnio, la ansiedad y los cambios de humor, se trata de un estimulante uterino, por lo que evita el aceite esencial y los remedios a base de esta hierba durante el primer trimestre de embarazo, y no tomes nunca grandes dosis.

BUENO PARA TI, BUENO PARA EL BEBÉ

Las investigaciones confirman que la lavanda tiene propiedades calmantes, relajantes y sedativas, y que es antibacteriana y antiviral. El aceite es eficaz para aliviar el estrés, la ansiedad y el insomnio, frena la pérdida de cabello y mitiga el dolor postoperatorio. Un estudio demostró que aplicar aceite de lavanda era efectivo para calmar el dolor del periné después del parto. La lavanda también se utiliza para hacer aceites para masajes, inhalaciones, infusiones y tinturas; para aliviar los dolores de cabeza y las tensiones musculares, tratar las indigestiones, la sensación de pesadez de estómago, los gases y las enfermedades de la piel, así como para levantar el ánimo y estimular las funciones mentales.

Consulta a tu médico antes de tomar lavanda si estás siguiendo un tratamiento con antidepresivos.

CONSEJOS DE COMPRA

Compra aceite esencial de la mejor calidad, en tarros de cristal oscuro, y utilízalo antes de que pasen seis meses. Cuando compres flores secas, comprueba que estén etiquetadas con su nombre botánico. La variedad *Lavandula angustifolia* produce el mejor aceite esencial y es cara. El híbrido *Lavandula x intermedia* produce más aceite pero tiene menos propiedades medicinales (por lo general se utiliza para fabricar detergentes). La *Lavandula latifolia* tiene menos calidad y, por lo tanto, es más barata. El aceite etiquetado como «aceite de lavanda» está adulterado o es una mezcla.

SUGERENCIAS DE CULTIVO

Como es un arbusto mediterráneo, prolifera en ambientes soleados, resiste las sequías y tolera los suelos pobres. Soporta un poco de frío, pero no la humedad excesiva. Crece bien en jardineras y macetas grandes, y no necesita muchos cuidados. Si decides plantar lavanda utiliza la especie *Lavandula angustifolia*. Siembra plantas jóvenes a finales de primavera separadas unos 30 cm. Poda las espigas después de la floración.

La mayor parte del aceite volátil (responsable del refrescante aroma y de las propiedades medicinales) se encuentra en las flores. Si quieres secarlas en casa, recoléctalas a mediados de verano por la mañana, hacia el final del período de floración, cuando los pétalos inferiores comiencen a secarse. Cuélgalas por el tallo y, una vez secas, ponlas en un recipiente hermético, en un sitio oscuro y fresco.

ALGUNOS TRUCOS

- Pulveriza la ropa de cama con agua de lavanda antes de plancharla.
- Haz bolsitas de lavanda y colócalas entre la ropa en el armario para disuadir a las polillas.
- Rellena una almohada con flores secas para estimular el sueño y levantarte de mejor humor.
- Después de tener el bebé, añade 5 gotas de aceite esencial al baño de la noche para estimular el sueño.

BAÑO DE ASIENTO CURATIVO

Utiliza esta mezcla para aliviar el periné y estimular la cicatrización después del parto.

5 gotas de aceite esencial de lavanda
5 gotas de aceite esencial de sándalo

Añade los aceites a un baño de asiento o al bidé lleno de agua caliente y remueve bien. Siéntate en el agua tanto tiempo como puedas. Como alternativa, añade 5 gotas de aceite esencial de lavanda en una palangana llena de agua caliente y remueve bien. Moja un paño limpio en el agua, escúrrelo bien y aplícatelo a modo de compresa.

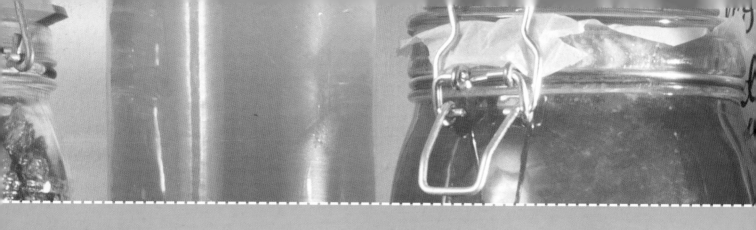

ALIMENTOS PARA LA DESPENSA

Cuando comience a aparecer el síndrome del nido, llena los armarios de la cocina con estos alimentos naturales que se conservarán durante meses. Su saludable mezcla de proteína, fibra, hierro y vitaminas B te aportará energía y te ayudará a estar tranquila durante las largas semanas de cambios físicos e incertidumbre emocional. Si te cansa ir al supermercado, compra una buena cantidad de estos productos por internet y te los llevarán a casa.

GARBANZOS · LENTEJAS · AVENA ARROZ · HARINA DE TRIGO INTEGRAL

GARBANZOS

Estas legumbres tan prácticas en especial para las embarazadas vegetarianas, se pueden comprar secas o cocidas y en conserva. Originarias de Oriente Medio, combinan bien con otros productos tradicionales de esta zona: limón, ajo, aceite de oliva, pasta de sésamo, menta y yogur.

BUENO PARA TI, BUENO PARA EL BEBÉ

Los garbanzos contienen una importante cantidad de ácido fólico y buenas cantidades de cobre, hierro y fósforo. Son una fuente excelente de manganeso y de molibdeno, un oligoelemento que ayuda a reparar los efectos negativos de los sulfitos, utilizados como conservantes. Son una buena fuente de proteína, importante para los vegetarianos estrictos, y de fibra, útil para aliviar el estreñimiento y mantener estable el nivel de azúcar en la sangre. Los garbanzos son ricos en saponinas y fructooligosacáridos (FOS), unos fitonutrientes que al parecer ayudan a reducir el colesterol.

CONSEJOS DE COMPRA

Tanto los garbanzos secos como los que se venden en conserva se pueden encontrar en cualquier supermercado. El proceso de conservación reduce el ácido fólico hasta en un 45 por ciento, por lo que es mejor cocer los garbanzos secos en casa.

En los mercados del Mediterráneo y México te puedes tropezar con garbanzos frescos: vainas pequeñitas de color verde claro y con semillas verdes en su interior. Son tiernos y delicados, una comida deliciosa si los encuentras. Lo que sin duda encontrarás son garbanzos secos de la cosecha del año, que solo necesitan unos 90 minutos de cocción.

Compra garbanzos enteros de color marrón clarito, inodoros y de tamaño uniforme.

Los bebés adoran la cremosa textura de los garbanzos, y que sean lo bastante grandes para que los niños puedan cogerlos con las manos.

TRUCOS DE COCINA

- Lava bien los garbanzos en conserva antes de usarlos.
- No hace falta cocinar los garbanzos en conserva, solo hay que calentarlos.
- Para cocer garbanzos secos, ponlos en remojo en agua fría durante toda la noche (o durante 8 horas) en la nevera, cambia el agua y llévalos a ebullición (no añadas sal). Baja el fuego, cúbrelos parcialmente y déjalos cocer a fuego lento entre 2 y 3 horas, según la receta, hasta que estén tiernos. Retira la espuma sucia a medida que surja en la superficie.
- Combina los garbanzos con comino seco, cúrcuma, ajo, jengibre y cilantro.
- Sírvelos con cuscús y una salsa picante.
- Si eres vegetariana, sírvelos con arroz integral, ya que esta combinación te proporcionará proteínas tan buenas como las de la carne o las de los productos lácteos.

PLATOS RÁPIDOS Y SENCILLOS

- *Para hacer una crema rápida, tritura en caliente un bote de garbanzos, una cebolla sofrita y un poco de caldo. Aderézalo con menta.*
- *Mezcla garbanzos con yogur cremoso, zumo de limón y piñones. Acompáñalos con pan de pita.*
- *Haz una sabrosa ensalada de garbanzos, menta, perejil picado, pimienta negra y zumo de limón.*

LENTEJAS

Ricas en hierro, ácido fólico y proteínas, las lentejas son muy valiosas durante el embarazo, y se preparan mucho más deprisa que otras legumbres. No hace falta ser vegetariana para disfrutar de su sabor: con ellas se pueden hacer unas deliciosas y reconfortantes sopas caseras para los días de invierno, y cremosos currys.

BUENO PARA TI, BUENO PARA EL BEBÉ

Las lentejas, una fuente excelente de manganeso y ácido fólico, contienen cantidades muy útiles de hierro, fósforo, cobre, vitaminas B y potasio; son las legumbres que más proteínas tienen: un 25 por ciento. También son ricas en fibra, lo que ayuda a evitar el estreñimiento, son buenas para el corazón y mantienen estable el nivel de azúcar en la sangre. Comer lentejas es un modo excelente de tomar molibdeno, que contrarresta los efectos negativos de los sulfitos, utilizados como conservantes. También contienen isoflavonas, compuestos orgánicos que ayudan a conservar fuertes los huesos .

CONSEJOS DE COMPRA

En la mayoría de los supermercados se venden algunas variedades de lentejas, pero las encontrarás de más tipos en las tiendas especializadas. El sabor de las lentejas en conserva es decepcionante.

Ve más allá del marrón: existen lentejas de una amplia gama de colores —rojas, amarillas, naranjas, verdes e incluso negras—. Pueden tener forma de lente o redondeada y ser grandes o más pequeñas. La cocina

Las lentejas son muy nutritivas y se utilizan desde hace miles de años. Las hay de diferentes colores, tamaños y formas.

LENTEJAS VERDES

LENTEJAS PARDIÑAS

LENTEJAS DE PUY

india utiliza cincuenta variedades de lentejas, todas con su nombre y su forma de preparación. Las lentejas de Puy tienen un magnífico sabor terroso.

PLATOS RÁPIDOS Y SENCILLOS

- *Cuece las lentejas a fuego lento en tres veces su volumen de agua durante 30 minutos. Mientras tanto, fríe ajo y jengibre con semillas de comino y de mostaza y cúrcuma; añade una cebolla picada y fríe hasta que esté tierna. Cuando las lentejas estén viscosas (puede que tengas que añadir más agua), viértelas encima de la cebolla frita con especias y remuévelas a fuego bajo o tritúralas hasta formar una crema.*
- *Guarda en la nevera el curry que sobre; al día siguiente, añádele un huevo batido y cebolla, haz bolas y fríelas. Sírvelas con yogur.*

TRUCOS DE COCINA

- Inspecciona las lentejas y retira las piedrecitas y otros desechos; lávalas antes de cocinarlas.
- No hace falta dejarlas en remojo.
- Cuécelas en agua abundante a fuego lento durante 15 a 30 minutos.
- Aderezar las lentejas con cebolla, ajo y especias.
- Utiliza las lentejas naranjas o amarillas para hacer curry.
- Las lentejas de mayor tamaño quedan enteras una vez cocidas; utilízalas en ensaladas.
- Si eres vegetariana, come las lentejas con arroz integral. Esta combinación te proporcionará proteínas tan buenas como las de la carne o las de los productos lácteos.
- Cocínalas con alguna fuente de vitamina C, como tomates o pimientos verdes, para incrementar al máximo la ingesta de hierro.

AVENA

Esta gramínea es perfecta para cuando se tiene el antojo de comer algo relajante y saciante durante la gestación o el peculiar deseo de comer alimentos «blancos» que embarga a algunas embarazadas. Estos antojos vienen muy bien porque la avena es uno de los cereales más nutritivos que existen. La tradición escocesa dice que el número de granos de un tallo de avena indica el número hijos que se tendrán en el futuro.

BUENO PARA TI, BUENO PARA EL BEBÉ

La avena, una fuente excelente de manganeso, con muy buena cantidad de selenio, vitamina B_1, magnesio, fósforo, zinc y vitamina E, proporciona una generosa cantidad de proteína y fibra (una taza de avena tiene casi el doble de fibra que una rebanada de pan integral). Se ha demostrado que su fibra soluble reduce el colesterol y refuerza la reacción del sistema inmunitario ante las infeccionas bacterianas. También estabiliza los niveles de azúcar en la sangre. Se relaciona el consumo de avena con la salud del corazón y, como la ingesta de otros alimentos integrales, con un menor riesgo de desarrollar diabetes tipo 2. La avena contiene avenantramidas y lignanos, antioxidantes que también fortalecen la salud del corazón. Parece que el salvado reduce el colesterol.

BAÑO CONTRA LOS PICORES

Prueba a darte este baño de hierbas para aliviar los picores y la sequedad de la piel. Utiliza la avena más molida que puedas encontrar (se disuelve al calentarse). Añade los pétalos de rosa una vez que hayas tenido el bebé.

100 g de avena
Un puñado de pétalos de rosa (opcional)
1 trozo de gasa cuadrado

Pon la avena (y los pétalos de rosa, si los utilizas) en el centro del trozo de gasa y átalo con un nudo o con una goma. Sostenlo debajo del grifo de agua caliente mientras se llena la bañera. Sumérgete en el agua y pásate la gasa con cuidado por las zonas afectadas, o frótate con fuerza para exfoliar la piel. Desechar la avena una vez utilizada.

PLATOS RÁPIDOS Y SENCILLOS

- *Si deseas preparar unas cremosas gachas de avena, mezcla dos partes y media de leche con una parte de copos de avena gigantes y llévalo a ebullición sin dejar de remover. Retíralas del fuego cuando hayan hervido y déjalas reposar durante 5 minutos. Añade trozos de plátano o mango y un poquito de canela molida, o unas vainas de cardamomo.*

- *Para preparar un postre delicioso, calienta una sartén y tuesta 85 g de avena con una cucharada de azúcar glas hasta que quede ligeramente acaramelada y dorada. Mientras tanto, monta 200 ml de nata. Agrega un poquito de miel y el zumo de un limón a la nata y mézclalo bien. Coloca por capas en un vaso alto de cristal la avena, 50 g de frambuesa y la nata.*

Los herbolarios utilizan la avena para tratar la depresión, el agotamiento y el insomnio, y para acelerar la recuperación tras una enfermedad o un esfuerzo. Una cataplasma de avena puede aliviar los picores de la piel. También se utiliza para ayudar a los atletas a mantener la función muscular y la resistencia durante los entrenamientos. La avena puede ser de ayuda para combatir la ansiedad: se usa para tratar adicciones, entre ellas la del tabaco.

CONSEJOS DE COMPRA

La avena se vende cortada en trocitos (avena «cortada a máquina» o «escocesa»), o cocida al vapor y aplastada con rodillos (avena «arrollada»). Los granos grandes de avena arrollada se han cocido al vapor enteros y conservan su forma y textura cuando se preparan en la cocina. La avena de cocción rápida se ha cortado en trozos para acelerar su cocción; no tiene menos nutrientes, solo es menos gratificante si te gusta la textura. La avena cortada a máquina o escocesa no se ha cocinado al vapor, por lo que tarda más en hacerse.

TRUCOS DE COCINA

- Cuanto mejor sea la avena, menos tardará en hacerse.
- Sustituye la mitad de la harina por avena en los postres.
- Prepárate muesli con avena, semillas y frutos secos.
- Añade salvado de avena a los otros cereales.
- Prueba las tortas de avena con queso y salmón ahumado por encima.

La avena se presenta en varias formas: salvado de avena, avena arrollada o avena refinada. El salvado y la avena arrollada se pueden tomar a modo de cereales y muesli, o usarlos como uno de los ingredientes para preparar magdalenas y pan. La avena refinada se utiliza como harina de avena instantánea o para preparar papillas.

ARROZ

El arroz, uno de los símbolos de fertilidad y felicidad más antiguos, se tira encima de los novios en las bodas de toda Europa como augurio de fecundidad y abundancia. En Indonesia se honra a Indoea Padi, la madre del arroz, y a las embarazadas se les ofrece pasteles de arroz. En la India se les da arroz a los bebés, en una gran ceremonia, a modo de primer alimento.

BUENO PARA TI, BUENO PARA EL BEBÉ

Fuente excelente de manganeso y rico en fósforo, potasio y magnesio, el arroz también contiene ácidos grasos esenciales, vitaminas E y B y hierro. Los fitonutrientes lignanos del arroz protegen el corazón, parecen reforzar la salud intestinal y sus compuestos fenólicos son antioxidantes.

El arroz es rico en fibra y se convierte en fuente de proteínas cuando se combina con lentejas o alubias. La proteína del arroz parece mejorar la dilatación de los vasos sanguíneos. El arroz integral, rico en fibra, ayuda a contrarrestar el estreñimiento, beneficia la salud del corazón y mantiene estable el nivel de azúcar en la sangre. Se asocia con un riesgo reducido de desarrollar la diabetes tipo 2.

El arroz integral es el más nutritivo porque conserva la capa de salvado, donde se concentran los nutrientes. El arroz blanco carece de este salvado nutritivo. Aunque puede estar enriquecido con las vitaminas B y el hierro que pierde durante su procesamiento, le faltan once de los nutrientes originales, y toda la fibra.

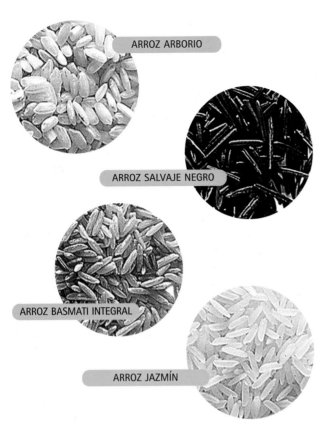

ARROZ ARBORIO

ARROZ SALVAJE NEGRO

ARROZ BASMATI INTEGRAL

ARROZ JAZMÍN

CONSEJOS DE COMPRA

El arroz integral se pone rancio antes que el arroz blanco, así que comprueba la fecha de caducidad antes de comprarlo. Compra arroz ecológico para evitar los residuos de pesticidas. No guardes el arroz cocinado, pueden salirle hongos incluso estando en la nevera, y se estropea rápidamente.

El arroz de grano corto, como el arborio o el sushi, es el más almidonado y el más conveniente para hacer postres, risottos o paellas. El arroz de grano largo, como el basmati o el arroz jazmín tailandés, permanece suelto tras la cocción y suele servirse acompañando los platos principales. Busca arroz salvaje rojo, verde o negro y prueba su complejo sabor. El arroz salvaje en realidad no es arroz, sino una gramínea acuática.

TRUCOS DE COCINA

- Dora el arroz con aceite o mantequilla antes de cocerlo para que los granos queden sueltos.
- Remoja los arroces de grano largo, sobre todo el basmati, para acelerar la cocción.
- No remuevas el arroz mientras se cuece (excepto si haces risotto), pues dejaría escapar el vapor que contiene.
- Mezcla el arroz con lentejas o alubias para activar las proteínas.

CREMA LIMPIADORA DE ARROZ

Usa esta crema limpiadora por las mañanas y por las noches si las cremas te resultan fuertes o contienen productos químicos que conviene evitar durante el embarazo. Si eres alérgica a los frutos secos, evita las almendras; si tienes intolerancia a los productos lácteos, sustituye la leche por agua de azahar.

    2 cucharadas de harina de arroz
    1 cucharadita de almendras molidas
    2 cucharadas de leche entera

Mezclar la harina de arroz y las almendras molidas en un tarro hermético. Guardar en un lugar fresco y oscuro. Para preparar la crema, poner una cucharadita de polvo mezclado en la palma de la mano y agregar leche poco a poco hasta obtener una pasta. Aplicar con un masaje sobre la piel húmeda, enjuagar con agua tibia y luego con agua fría.

PLATOS RÁPIDOS Y SENCILLOS

- *Para cocinar arroz basmati, añadir el doble de agua fría (o un poco más), agregar un poco de aceite de oliva y sal, cubrir y llevar a ebullición. Una vez rompa a hervir, remover y volver a colocar la tapa, bajar el fuego al mínimo y cocinar durante 45 minutos; comprobar de vez en cuando si necesita más agua. Retirar del fuego y dejar reposar durante otros 10 minutos.*
- *Prepara tus rollitos vegetarianos colocando una taza de arroz cocido, aguacate y rodajas de pepino sobre una hoja de alga nori. Enrolla el alga y espolvorea por encima semillas de sésamo.*
- *Mezcla verduras troceadas y frutos secos con arroz frío; alíñalo un aderezo sabroso.*
- *Haz bolas con el risotto que te haya sobrado, colocando un poco de mozzarella en el centro. Fríelas y sírvelas con salsa de tomate.*

HARINA DE TRIGO INTEGRAL

El trigo, otro cereal relacionado con la diosa madre, es un alimento básico muy beneficioso para la salud cuando es integral. El trigo es la causa de muchos problemas de salud, como la obesidad, la diabetes y las enfermedades cardiovasculares. Para evitaros a ti y a tu bebé problemas de salud en el futuro, incorpora a tu dieta productos hechos con harina integral. Comienza el día con energía desayunando pan hecho con masa madre (véase página 100).

BUENO PARA TI, BUENO PARA EL BEBÉ

La harina integral de trigo es una fuente fantástica de ácido fólico y vitaminas B y E, zinc, magnesio y manganeso. Pero cuando se quita el salvado y el germen de trigo para hacer harina blanca, se pierden muchas de las vitaminas y los minerales y la mayor parte de la fibra.

La gran cantidad de fibra de la harina de trigo integral reduce el colesterol alto, mantiene estable el nivel de azúcar en la sangre y alivia el estreñimiento. La harina integral también refuerza la salud del corazón y reduce el riesgo de desarrollar diabetes tipo 2. Los lignanos, unos fitonutrientes de la harina integral, protegen contra las enfermedades del corazón y parecen reforzar la flora intestinal; además, tienen compuestos fenólicos antioxidantes. Las personas que ingieren más cantidad de betaína, un metabolito de la colina del trigo, parecen estar protegidas contra las inflamaciones.

Muchas mujeres evitan comer pan y pasta por miedo a engordar, pero un estudio sobre la salud de la mujer (Escuela de Medicina de Harvard y Hospital de la Mujer de Brigham) demostró que las mujeres que comían harinas integrales pesaban menos que las que no lo hacían.

CONSEJOS DE COMPRA

Las barras de pan de los supermercados y de las cadenas de panaderías se fabrican muy rápido, por lo que necesitan mucha más levadura y azúcar, además de todo tipo de agentes químicos y enzimas para darles una textura agradable.

El exceso de levadura es difícil de digerir y tal vez tampoco toleres bien los aditivos, que pueden provocarte pesadez de estómago y bajones de energía.

Es mejor evitar cualquier cosa que lleve conservantes del tipo E y harina de soja, lo que es difícil en el pan comprado en un supermercado. Lee la etiqueta para ver si el pan integral con aspecto tan saludable no está hecho en realidad con harina blanca coloreada con melaza. Escoge productos integrales ecológicos: debido a que utilizan todo el grano, suelen tener más residuos de pesticidas.

Añadir productos a base de harina integral a tu dieta durante el embarazo os ayudará a ti y a tu bebé a prevenir futuras enfermedades.

CÓMO HACER MASA MADRE

Los panes de masa madre se hacen sin levadura; crecen gracias a la acción de las levaduras que hay en el ambiente. El proceso de elaboración de estos panes es mucho más largo, lo cual permite el crecimiento de lactobacilos beneficiosos para la salud de la flora intestinal y da al pan un sabor penetrante, más cantidad de nutrientes y más tiempo de conservación. Hacer la masa madre quizá te parezca un proceso interminable, pero una vez acabado te puede resultar útil para toda la vida. Como alternativa, puedes pedirle a tu panadero un poco de su masa madre.

Necesitarás:

Una bolsa de harina blanca ecológica
Una botella de agua mineral
Un recipiente de cristal

1 Esterilizar el recipiente lavándolo en agua caliente con jabón y secándolo al horno a fuego lento. Poner 60 g de harina y 60 ml de agua en el recipiente y remover con una cuchara de metal limpia. Dejar reposar la mezcla durante 24 horas, sin cubrir, en una habitación cálida (20-26 °C).

2 Al día siguiente, volver a añadir la misma cantidad de harina y agua, remover y dejar reposar otras 24 horas. Tapar el recipiente con un plástico y hacer un agujerito en la parte de arriba. Repetir la operación el tercer día.

3 El cuarto día, tirar casi toda la preparación y dejar una gruesa capa en el fondo del recipiente. Añadir el doble de cantidad de harina y agua, remover y dejar reposar de nuevo.

4 El quinto día, repetir los pasos del día anterior; aparecerán unas burbujitas, signo de fermentación. Volver a repetir la operación el sexto día; la mezcla tendrá que haber aumentado de volumen.

5 Repetir el día séptimo, o durante otra semana hasta que la masa madre haya doblado su tamaño y sea espumosa por encima y burbujeante por abajo. Debe oler a agrio y a levadura. Tu masa madre está lista. Si no quieres utilizarla ese mismo día, la puedes guardar cubierta en la nevera.

6 Utiliza la masa madre tal como indican las recetas para hacer pan de masa madre. La masa tardará el doble de tiempo en subir que cuando se usa levadura. Para intensificar el penetrante sabor del pan, cuando la masa haya subido, hazla bajar, tápala y déjala en la nevera hasta que vuelva a doblar su tamaño (hasta 2 días en la nevera).

Renovar la masa madre
Después de hacer pan (o una vez por semana), refresca la masa alimentándola con harina y agua y tirando parte de la misma durante 3 días, tal como hiciste la primera vez, hasta que vuelva a estar espumosa.

El mejor lugar para comprar pan es una panadería artesanal: el panadero podrá darte información sobre los tipos de harina y los métodos de fermentación que usa. Cuando encuentres un tipo de barra que te guste mucho, compra unas cuantas piezas y congélalas; otra opción es conseguir una panificadora.

El pan de masa fermentada es una fuente de hierro, zinc y cobre mucho mejor que el pan regular, y parece que los alérgicos al trigo lo toleran mejor. Puede que esto se deba al proceso de fermentación, que cambia la naturaleza del almidón e incorpora una bacteria beneficiosa (el lactobacilo, como la del yogur) que predigiere el salvado, combate los organismos patógenos y refuerza la salud intestinal. La levadura natural y el lactobacilo también producen vitaminas B y biotina. Un estudio demostró que aquellas personas que comían pan de masa madre tenían menos azúcar en la sangre que después de comer otros tipos de pan, y los efectos duraban horas. Los panes que peores resultados dieron en otra investigación fueron los integrales hechos con

harina blanca y germen y salvado añadidos. Ya hemos advertido que el pan de masa madre del supermercado se ha podido hacer rápidamente con levadura y aromatizantes.

TRUCOS DE COCINA
- Combina los productos de harina integral con huevos: ambos son buenas fuentes de colina.
- La forma más fácil de hacer pan casero es con una panificadora.
- Añade frutas deshidratadas, frutos secos y semillas a la masa del pan casero.
- Comprueba la etiqueta de los paquetes de harina y evita las harinas blanqueadas.

HARINA MOLIDA GRUESA

HARINA COMÚN

La harina molida gruesa conserva todos sus nutrientes, ya que se utiliza todo el grano. Su textura gruesa y su alto valor nutritivo la convierten en una de las preferidas de los panaderos. La harina común procede de una mezcla de trigos duros y blandos, y contiene proteína. Es más adecuada para hacer panes y pasteles.

RECETAS

Disfruta de lo que te ofrece cada estación, en tu huerto o en las estanterías del supermercado, y crea platos nutritivos que os alimenten a ti y al bebé que llevas dentro. Tendrás la satisfacción de saber que estás haciendo comidas llenas de vitaminas y minerales esenciales, que además están riquísimas y gustarán a toda la familia. La mayoría son fáciles y rápidas de preparar: una bendición cuando estás cansada o quizá un poco mareada.

SOPAS · ENSALADAS · HUEVOS · MARISCO · CURRY · VERDURAS REHOGADAS · SALSAS · PAN · CEREALES PARA DESAYUNAR · PÚDINES · PASTELES · PASTAS · CARNES · POSTRES DE FRUTAS · BATIDOS

RECOMPENSAS DE OTOÑO

BATIDO DE MELÓN

Prueba este batido de yogur a principios de otoño, cuando los melones están muy maduros. Contiene fruta rica en potasio, lo que te ayudará a mantener el equilibrio de líquidos durante el embarazo y a contrarrestar los calambres. También tiene calcio y superóxido dismutasa, una enzima que te puede ayudar a aliviar los síntomas del estrés.

Tiempo de preparación: 5 minutos, más una noche en remojo
Tiempo de cocción: no requiere cocción
Raciones: 2

Contiene fibra, proteína, potasio, betacaroteno, vitamina C, calcio y fósforo

2 puñados de albaricoques secos (dejados en remojo durante la noche)
2 naranjas
2 rajas grandes de melón cantaloupe, sin pepitas y cortadas en trozos
100 g de yogur orgánico natural
Leche semidesnatada ecológica, al gusto

• Dejar los albaricoques en remojo la noche anterior.
• A la mañana siguiente, mezclar los albaricoques reblandecidos, los trozos de melón y el yogur en una batidora hasta que estén bien batidos.
• Exprimir las naranjas y, con la batidora en marcha, añadir el zumo y la leche hasta conseguir un batido espumoso pero lo suficientemente líquido.
• Verter en un vaso, o sobre el muesli, para desayunar o merendar.

GACHAS DE AVENA CON FRUTA

Tomar un reconfortante desayuno a base de avena es una suave forma de empezar el día si estás un poco mareada. Estas gachas tienen el dulzor natural de los albaricoques (ricos en vitamina C) y los plátanos (ricos en potasio).

Tiempo de preparación: 5 minutos
Tiempo de cocción: 10 minutos
Raciones: 2

Contiene fibra, proteína, vitaminas D, K y C, calcio, manganeso, fósforo y potasio

1 taza de avena orgánica
2 ½ tazas de leche semidesnatada orgánica
8 albaricoques secos, en trocitos
8 vainas de cardamomo
1 plátano
Jarabe de arce, para servir

• Poner la avena, la leche y los albaricoques en una cacerola. Machacar las vainas de cardamomo con un mortero y verterlas en la cacerola.
• Llevar a ebullición a fuego bajo sin dejar de remover. Retirar del fuego cuando las gachas empiecen a burbujear y dejar reposar durante 5 minutos.
• Cortar el plátano en rodajas finitas y agregarlo a las gachas.
• Rociar las gachas con un poco de jarabe de arce antes de servirlas. Agregar un poco de leche fría si se quieren unas gachas más finas. Apartar las vainas de cardamomo a medida que se vayan encontrando.

CREMA DE ZANAHORIAS

Esta sencilla crema se elabora con caldo de pollo para darle un sabor cremoso y el máximo de nutrientes, pero lo puedes sustituir por caldo de verduras. La sopa tiene pocos ingredientes, por lo que destaca el sabor de la zanahoria.

Tiempo de preparación: 5 minutos
Tiempo de cocción: 35-40 minutos
Raciones: 2

Contiene fibra, proteína, betacaroteno, vitaminas B y K y manganeso

2 cucharadas de aceite de oliva
1 cebolla mediana picada
500 g de zanahorias orgánicas
1 hoja de laurel
600 ml de caldo de pollo (véase página 118)
Yogur griego, para servir

• Rehogar la cebolla picada en aceite de oliva hasta que esté blandita, pero no dorada.
• Limpiar y pelar las zanahorias y cortarlas en rodajas de 1 cm de ancho.
• Agregar las zanahorias y la hoja de laurel a la cacerola y remover hasta que estén calientes. Añadir caldo suficiente para cubrir las zanahorias.
• Tapar y dejar a fuego medio hasta que las zanahorias estén blandas (unos 20 minutos). Retirar la hoja de laurel y dejar enfriar.
• Triturar hasta conseguir una crema tan consistente como se desee. Si queda demasiado espesa, agregar agua hirviendo y remover.
• Volver a calentar la crema y servir con una cucharada grande de yogur griego.

MEJILLONES A LA MARINERA

Aprovecha los últimos mejillones de finales de otoño. Están deliciosos y llenos de vitaminas, minerales, proteínas y omega-3. Bien cocinados, son totalmente seguros durante el embarazo. Aunque la receta contiene vino y nata, el alcohol se evaporará y es bueno darse un gusto de vez en cuando durante la gestación. Servirlos con pan tierno y crujiente.

Tiempo de preparación: 10 minutos
Tiempo de cocción: 10 minutos
Raciones: 2

Contiene proteína, vitamina B$_{12}$, hierro, manganeso, calcio, selenio y ácidos grasos omega-3

1 kg de mejillones frescos
1 cucharada de aceite de oliva
2-3 chalotas picadas
75 ml de vino blanco
2 cucharadas de nata para montar
1 cucharada de perejil picado

• Descartar cualquier mejillón roto o abierto. Limpiar los mejillones restantes quitándoles la barba con un cuchillo afilado. Enjuagar bien en una cacerola llena de agua; cambiar tres veces el agua.
• Calentar el aceite de oliva en una olla grande que tenga una tapa que ajuste bien. Freír las chalotas hasta que estén tiernas pero no doradas (unos 2 o 3 minutos).
• Añadir el vino blanco y dejar burbujear durante 1 minuto, sin tapar, para que se evapore el alcohol.
• Echar los mejillones limpios en la olla y tapar; remover de vez en cuando hasta que se abran los mejillones (tirar los que no se abran).
• Agregar la nata y el perejil, y servir los mejillones con un poquito de salsa y pan tierno y crujiente.

ENSALADA DE LENTEJAS PUY Y ESPINACAS

Es un buen acompañamiento para las salchichas o el pescado al horno. El sabor fuerte de las algas nori, ricas en valiosos nutrientes, complementa el aroma terroso de las lentejas. Hay que tostar el alga para intensificar su sabor y su aroma y mejorar la textura.

Tiempo de preparación: 5 minutos
Tiempo de cocción: 30-35 minutos
Raciones: 2

Contiene fibra, proteína, ácido fólico, vitaminas B, C, E y K, calcio, manganeso, hierro, magnesio, fósforo, potasio y cobre

2 cucharadas de aceite de oliva
1 cebolla pequeña roja, picada
½ pimiento rojo, cortado en dados
1 diente de ajo, picado
200 g de lentejas Puy, lavadas
1 hoja de laurel
1 cucharadita de tomillo
600 ml de caldo de verduras
Zumo de 1 limón
Pimienta negra molida
1 hoja de alga nori
100 g de hojas de espinacas frescas, lavadas

• Calentar el aceite en una cacerola ancha y sofreír la cebolla y el pimiento rojo durante 5 minutos, agregando el ajo 1 minuto antes.
• Añadir las lentejas, la hoja de laurel y el tomillo y remover.
• Llenar la cacerola de caldo hasta 1 cm por encima de las lentejas y llevar a ebullición. Bajar el fuego y dejar cocer durante 20 o 25 minutos, o hasta que las lentejas estén tiernas.
• Sazonar las lentejas con el zumo de limón y la pimienta negra.
• Tostar la parte brillante y lisa del alga nori sobre una llama hasta que se vuelva de color verde oscuro, y espolvorear un poco sobre las lentejas.
• Servir con las hojas de espinaca.

VERDURAS DE OTOÑO AL HORNO

Se trata de una buena comida para las primeras noches frías del año. Las calabazas cultivadas en casa se conservan bien en el alféizar de la ventana, así que en invierno también podrás preparar este plato añadiéndole apio. Corta los boniatos y las zanahorias en trozos iguales, de unos 2,5 cm.

Tiempo de preparación: 10 minutos
Tiempo de cocción: 40-50 minutos
Raciones: 2

Contiene fibra, proteína, betacaroteno, ácido fólico, vitaminas C y K, potasio, cobre, manganeso y selenio

1 calabaza pequeña (o ½ grande) cuarteada y sin pepitas
1 boniato, pelado y cortado en trozos
3 cebollas, sin pelar y a cuartos
2 zanahorias orgánicas, cortadas a cuartos
2 remolachas crudas, peladas y cuarteadas
1 pimiento rojo, cortado por la mitad y sin pepitas
4 dientes de ajo, pelados
Aceite de oliva, sal marina y pimienta negra molida, al gusto
4 ramas de romero fresco
100 g de castañas cocidas
6 lonchas de beicon, cortadas en trocitos
Salsa Worcestershire o de soja, al gusto

• Precalentar el horno a 150 °C.
• Colocar la calabaza, el boniato, las cebollas, las zanahorias, las remolachas, el pimiento rojo y el ajo en una bandeja para el horno. Rociar con aceite de oliva y salpimentar. Meter en el horno.
• Pasados 20 minutos, añadir el romero, las castañas y el beicon a los 20 minutos. Comprobar si alguna de las verduras está tierna; trasladar las que estén listas a una bandeja y mantenerlas calientes. El boniato, el ajo, la remolacha y el pimiento estarán hechos en 20 o 30 minutos.
• Transcurridos 40 minutos, mirar si el resto de las verduras están blandas y caramelizadas. Si alguna no estuviera del todo hecha, dejarla en el horno durante 10 minutos más.
• Colocar todas las verduras en la bandeja de servir y mezclarlas bien; quitar la piel dura de las cebollas.
• Aderezar con pimienta negra, un poquito de sal y unas gotas de salsa Worcestershire (o de soja).

ENSALADA DE REMOLACHA

Colorida y de sabor contundente, esta ensalada de raíces comestibles crudas te limpiará el paladar. Va muy bien con el pescado azul. Ponte un delantal cuando prepares este plato: el zumo de la remolacha deja manchas.

Tiempo de preparación: 5 minutos
Tiempo de cocción: no requiere cocción
Raciones: 2

Contiene fibra, betacaroteno, ácido fólico, vitaminas C y K, potasio y manganeso

4 zanahorias orgánicas
2 remolachas crudas
1 puñado generoso de semillas de girasol
Vinagre balsámico, al gusto

• Limpiar las zanahorias y pelar las remolachas. Rallarlas y cambiarlas a un bol.
• Tostar las semillas de girasol en una sartén y, todavía calientes, añadirlas a las verduras.
• Aderezar la ensalada con un chorrito de vinagre balsámico, remover bien y servir de inmediato.

PASTEL DE FRUTAS

Para hacer este pastel, puedes salir al campo a buscar moras. En algunas regiones, incluso, encontrarás avellanas y manzanas silvestres. Si quieres que sea más nutritivo, hazlo con la fruta más madura que encuentres en tu mercado.

Tiempo de preparación: 10-15 minutos
Tiempo de cocción: 30 minutos
Raciones: 4

Contiene fibra, manganeso, magnesio, fósforo, selenio, vitamina E y zinc

500 g de moras
200 g de manzana, peladas y cortadas en láminas
2 cucharadas de azúcar
100 g de mantequilla fría
100 g de harina integral
70 g de avena
30 g de avellanas, picadas en el mortero
20 g de semillas de calabaza
Yogur griego o crème fraîche, para servir.

• Calentar el horno a 190 °C.
• Colocar las moras y la manzana en el fondo de un molde para tartas. Espolvorearlas con 1 cucharada de azúcar.
• Poner la harina en un recipiente. Cortar la mantequilla en trocitos y amasar con la harina hasta que la mezcla tenga el aspecto de migas de pan gruesas.
• Agregar la avena, las avellanas, las semillas y el resto del azúcar. Humedecer la mezcla con dos cucharaditas de agua y removerla.
• Extender la mezcla por encima de las frutas y hornear durante 30 minutos, o hasta que esté dorado por encima.
• Servir con yogur griego o crème fraîche.

MANZANAS AL HORNO

Se trata de un postre que te reanimará y que se prepara en pocos minutos. Acompáñalo con una crema casera o con helado de vainilla.

Tiempo de preparación: 5 minutos
Tiempo de cocción: 45-50 minutos
Raciones: 2

Contiene fibra, manganeso, vitamina E y cobre

2 manzanas grandes
2 cucharadas de zumo de manzana, para cocer al vapor
25 g de almendras fileteadas
25 g de avellanas, en trocitos
1 cucharada de pasas
4 higos secos, en trocitos
4 cucharadas de azúcar
½ cucharadita de canela en polvo
25 g de mantequilla

- Precalentar el horno a 190 ºC.
- Quitar el corazón de las manzanas vigilando que queden enteras.
- Colocar las manzanas en una bandeja profunda para el horno con un poco de zumo de manzana en el fondo.
- Tostar los frutos secos en una sartén a fuego bajo y volcarlos en un bol junto a las pasas, los higos, el azúcar y la canela. Mezclar bien.
- Introducir la mezcla anterior en los agujeros de las manzanas, presionando bien hacia abajo, y poner encima un trocito de mantequilla.
- Hornear las manzanas durante 45 minutos, o hasta que estén lo suficientemente blandas como para cortarlas fácilmente con un cuchillo.
- Servirlas de inmediato.

recompensas de otoño

PLATOS DE INVIERNO

HUEVOS A LA FLORENTINA

Un desayuno clásico, perfecto
para comenzar un fin de semana de
invierno o darte un capricho a media
mañana. Sírvelos con un mollete. Esta
receta utiliza harina integral y aceite
de oliva. Puedes variar la receta original
sustituyendo las espinacas por col rizada
cortada muy fina. La col se mantiene
crujiente, mientras que las espinacas
se quedan blandas.

Tiempo de preparación: 5 minutos
Tiempo de cocción: 15 minutos
Raciones: 2

Contiene fibra, proteína, calcio,
betacaroteno, vitaminas B_6, C y K, potasio,
cobre, manganeso, selenio y fósforo

2 cucharadas de aceite de oliva
25 g de harina integral
150 ml de leche ecológica
50 g de queso rallado
2 cucharaditas de mostaza de Dijon
250 g de espinacas o col rizada,
lavada
4 huevos
1 cucharadita de vinagre (opcional)
Sal marina y pimienta negra molida
2 molletes
Mantequilla, para servir

• Primero hay que hacer la salsa
de queso: calentar el aceite de oliva
en una sartén y añadir la harina; dorarla
durante 1 minuto.
• Añadir la leche poco a poco sin dejar
de remover para evitar que salgan
grumos. Una vez haya espesado la salsa,
agregar el queso y la mostaza. Batir
hasta que quede bien suave, cubrir
y reservar aparte.
• Colocar las espinacas, o la col, en
una sartén o cazo, bien empapadas

en agua, y tapar. Dejar que se cuezan al
vapor hasta que las hojas se ablanden
(cerca de 1 minuto, la col un poco más).
Escurrir, tapar y reservar.
• Escalfar los huevos con una
cucharadita de vinagre (opcional) hasta
que la yema esté dura (unos 5 minutos).
• Colocar la mitad de las hojas de
espinaca a modo de «cama» en cada
plato, cubrirlas con 2 huevos, verter
encima la mitad de la salsa de queso
y salpimentar.
• Tostar los molletes, untarlos con
mantequilla y servirlas para acompañar.

CREMA DE AGUATURMAS

Esta sencilla y aterciopelada crema
tiene un ligero y rico sabor terroso que
le va muy bien al pan de masa madre
tostado. No le digas a nadie cuál es
el ingrediente principal: deja que lo
averigüen antes de mostrarles los
tubérculos de aguaturmas.

Tiempo de preparación: 5 minutos
Tiempo de cocción: 35 minutos
Raciones: 2

Contiene fibra, hierro, vitamina C,
ácido fólico, potasio, fósforo, magnesio
y cobre

600 g de aguaturmas, bien raspadas
El zumo de 1 limón
2 cucharadas de aceite de oliva
1 cebolla, picada
2 ramas de apio, picadas
2 dientes de ajo, picados
1 litro de caldo de verduras
Sal marina y pimienta negra molida
1 cucharada de perejil fresco picado
Crème fraîche, para servir

• Cortar en rodajas las aguaturmas (no
hay que pelarlas si se han raspado bien)
y ponerlas en un bol con la mitad del
zumo de limón para evitar que se
decoloren.
• Poner el aceite de oliva en una olla
y sofreír la cebolla y el apio hasta que
la cebolla esté blanda pero no dorada.
• Escurrir las rodajas de aguaturma,
agregarlas a la olla junto al ajo y
remover durante 5 minutos. Verter caldo
suficiente para cubrir las aguaturmas
y lo que quede del zumo de limón.
• Tapar y dejar a fuego medio hasta
que las aguaturmas estén blandas
(unos 20 o 25 minutos). Dejar enfriar.
• Triturar las aguaturmas hasta
conseguir una crema con la consistencia
que se desee: a algunas personas les
gusta homogénea y a otras con trocitos.
Si parece un poco espesa, añadir un
poco de agua hirviendo y remover.
Salpimentar al gusto y recalentar.
• Servir con un poquito de perejil
por encima y un copo de crème fraîche.

SOPA DE CALABAZA EN SU CÁSCARA

Esta sopa queda impresionante cuando se saca a la mesa. No utilices las calabazas grandes de Halloween: no se han cultivado para comer; utiliza calabazas que sean duras y aguanten bien el invierno, como la Hubbard. Escógela de tamaño medio; una grande puede desmoronarse sobre sí misma. Si esto ocurriera, rasca toda la carne que puedas y bátelo con la batidora.

Tiempo de preparación: 10 minutos
Tiempo de cocción: 2 horas
Raciones: 4

Contiene fibra, betacaroteno, vitaminas B_2, C y E, potasio, cobre y manganeso

1 calabaza de tamaño medio
2 cucharadas de aceite de oliva
Sal marina y pimienta negra molida
1 cebolla de tamaño medio, picada
1 cucharadita de jengibre molido
1 cucharadita de comino molido
1 litro de caldo de verdura, o pollo
1 puñado de avellanas tostadas, para decorar

• Precalentar el horno a 190 °C.
• Cortar la parte de arriba de la calabaza para hacer una tapadera y quitar las semillas y las hebras (reservar las semillas para tostarlas y comerlas como tentempié con un poco de sal).
• Colocar la calabaza en una fuente para horno profunda. Untar la pulpa con aceite de oliva y un poquito de sal y pimienta.
• Poner la cebolla picada y las especias dentro de la calabaza y llenarla de caldo. Colocar de nuevo la tapadera y hornear la calabaza durante una hora y media o dos horas, dependiendo del tamaño de la calabaza y del grosor de la pulpa.
• Hacia la mitad de la cocción, rascar parte de la pulpa en la sopa (no sacar demasiado o se desmoronará la cáscara). Volver a rascar la pulpa al final de la cocción. La sopa estará lista cuando la pulpa esté tan blandita que se «deshaga» en el caldo.
• Comprobar si necesita más sal y pimienta, y servir decorada con avellanas.

ENSALADA DE COL

Esta crujiente ensalada de invierno roja y verde es una buena fuente de ácido fólico y vitaminas B y K. Es un rico acompañamiento para muchos platos, como las patatas al horno y las salchichas.

Tiempo de preparación: 15 minutos
Tiempo de cocción: no requiere cocción
Raciones: 2

Contiene fibra, calcio, betacaroteno, vitaminas B, C, K y E, ácido fólico, potasio, manganeso, magnesio, fósforo y cobre

½ col lombarda, lavada
Un buen puñado de hojas de acelgas o espinacas, lavadas
1 zanahoria grande ecológica, rallada
1 manzana ácida, pelada y rallada
Un puñado de pasas
3-4 cucharadas de mayonesa de bote
Pimienta negra molida, al gusto

• Cortar la col y las hojas de acelga o espinacas en tiras muy finas y hacer un montón en una fuente de servir grande.
• Añadir la zanahoria, la manzana y las pasas y remover.
• Agregar la mayonesa, mezclar bien y sazonar con la pimienta negra.

OSTRAS GRATINADAS

Estas delicias de invierno no te dejarán saciada, pero en cambio están llenas de proteínas y zinc, lo cual es perfecto cuando lo que necesitas es la mayor dosis de nutrientes en el bocado más pequeño. Puedes pedirle al pescadero que te abra las ostras, lo que requiere mucho más esfuerzo que cocinarlas. Pídele también que te guarde su líquido. Descarta cualquier ostra que parezca seca o que no huela bien.

Tiempo de preparación: 10 minutos
Tiempo de cocción: 9 minutos
Raciones: 2

Contiene proteína, calcio, vitamina B_{12}, hierro, zinc, cobre, magnesio y selenio

50 g de mantequilla ecológica
1 cebollino, picado muy fino
2 dientes de ajo, picados muy finos
12 ostras, abiertas
50 g de queso parmesano
Pimienta negra molida
1 cucharada de perejil picado
Rodajas de limón, para servir

• Derretir la mantequilla en una sartén, añadir el cebollino y freírlo hasta que quede blando, pero no dorado. Agregar el ajo hacia el final. Reservar en un plato.
• Precalentar el gratinador del horno a una temperatura alta.
• Colocar las ostras abiertas en platos que puedan ir al horno con un poco de su propio líquido y un poco de queso parmesano. Poner una cucharadita de la mezcla de ajo, cebollino y mantequilla por encima, y espolvorearlas con pimienta y perejil. Tal vez no se necesite toda la mantequilla y todo el parmesano.
• Colocar los platos bajo el gratinador hasta que el queso se dore y burbujee (alrededor de 2 o 3 minutos).
• Servir de inmediato, con rodajas de limón.

CURRY DE ESPINACAS Y PATATAS

El aceite de oliva no es el que se usa en la India para freír, pero eso no resta sabor al curry. Este no es muy picante, pero si tu paladar es delicado, sustituye el chile en polvo por pimentón y acompáñalo con más yogur. Sírvelo sobre una capa de arroz basmati.

Tiempo de preparación: 10 minutos
Tiempo de cocción: 25 minutos
Raciones: 2-3

Contiene fibra, betacaroteno, vitaminas B_6, C y K, ácido fólico, calcio, hierro, potasio, manganeso, cobre y magnesio

500 g de patatas sin pelar, bien raspadas
Sal marina, al gusto
1 cucharadita de semillas de cilantro
1 cucharada de aceite de oliva
1 cebolla de tamaño medio, picada
2 dientes de ajo, picados
2,5 cm de raíz de jengibre fresca, pelada y picada
1 cucharadita de cúrcuma molida
½ cucharadita de chile en polvo
500 g de espinacas, bien lavadas y picadas finas
½ cucharadita de garam masala
Yogur, para acompañar
1 cucharada de hojas de cilantro frescas

• Cocer las patatas en agua algo salada durante 10 minutos, hasta que todavía estén duras pero lo suficientemente blandas para clavarles un tenedor. Escurrirlas y reservarlas.
• Mientras las patatas se cuecen, moler las semillas de cilantro en un mortero.
• En una sartén grande, sofreír la cebolla con el ajo y el jengibre. Cuando la cebolla comience a dorarse, añadir un poco de sal, la cúrcuma, el chile en polvo y el cilantro molido.
• Cortar las patatas a medio cocer en trozos pequeños y agregarlas a la mezcla de la sartén, freírlas hasta que estén casi blandas (unos 10 minutos).
• Añadir las hojas de espinacas bien empapadas en agua a la sartén. Cocinar durante unos minutos hasta que las hojas queden blandas y todo quede bien mezclado.
• Justo antes de servir, añadir el garam masala y remover.
• Servir con mucho yogur y decorar con hojas de cilantro picado.

PASTA CON COL DE SABOYA Y PIMIENTO ROJO

El sabor de la col de Saboya combina bien con el pimiento rojo, los piñones y el parmesano. Utiliza las hojas exteriores más oscuras de la col —cuanto más oscuro sea el color, más nutrientes tendrán—, pero lávalas muy bien.

Tiempo de preparación: 15 minutos
Tiempo de cocción: 12-15 minutos
Raciones: 2

Contiene fibra, proteína, betacaroteno, ácido fólico, vitaminas B_6 y C, calcio, magnesio, potasio y manganeso

1 pimiento rojo
2 cucharadas de piñones
225 g de farfalle o cualquier pasta plana
Sal marina y pimienta negra molida, al gusto
½ col de Saboya, cortada en tiras muy finas
100 g de queso parmesano, rallado.

• Precalentar el gratinador. Llevar a ebullición una olla de agua ligeramente salada.
• Cortar el pimiento por la mitad, quitarle las semillas y colocarlo bajo el gratinador, con las partes redondeadas mirando hacia arriba, hasta que la piel se ponga negra y le salgan burbujas.
• Envolver el pimiento asado en un paño de cocina limpio durante 10 minutos; pelarlo y cortar la pulpa. Reservarlo.
• Tostar los piñones en una sartén removiéndolos bien. Reservarlos.
• Echar la pasta a la olla de agua hirviendo y cocerla sin tapar, removiendo de vez en cuando para que no se pegue, hasta que esté *al dente* (consultar el tiempo de cocción en el paquete de la pasta).
• Escurrir la pasta, reservando un poco del agua de cocción, y volver a ponerla en la olla a fuego bajo.
• Añadir un poco de aceite de oliva y las tiras de col; remover hasta que la col quede blanda.
• Añadir los trozos de pimiento, el parmesano y el agua de cocción reservada si los ingredientes parecen pegajosos.
• Añadir los piñones y servir de inmediato. Llevar a la mesa pimienta negra y más parmesano.

Una vez que pruebes el brócoli morado, encontrarás el brócoli normal fibroso y sin sabor. Si puedes resistir la tentación de comerte los tallos ligeramente hervidos —son tan buenos como los espárragos— prueba a freírlos. Cuando termine el invierno, sustituye las verduras aquí listadas por las de temporada. Córtalo todo en juliana bien fino y sírvelo con arroz hervido o fideos de huevo.

Tiempo de preparación: 10 minutos
Tiempo de cocción: 5 minutos
Raciones: 2

Contiene fibra, betacaroteno, vitaminas B_2 y B_6, C, E y K, ácido fólico, potasio, manganeso y magnesio

2 cucharadas de aceite de nuez
1 zanahoria, cortada muy fina
½ cebolla pequeña, picada muy fina
1 cucharada de jengibre recién rallado
2 dientes de ajo
1 anís estrellado
1 pimiento verde, sin semillas y cortado en tiras
50 g de almendras
200 g de brócoli morado, con las hojas
1 cucharada de salsa de soja
1 cucharada de semillas de sésamo

• Calentar el aceite en un wok o sartén grande, añadir la zanahoria, la cebolla, el jengibre, el ajo y el anís estrellado y freír a fuego alto hasta que adquiera una bruena fragancia (1 o 2 minutos).
• Agregar el pimiento, las almendras, el brócoli morado y la salsa de soja, sin dejar de remover todos los ingredientes durante 2 o 3 minutos, o hasta que el brócoli esté blando.
• Añadir las semillas de sésamo justo antes de servir.

Este plato es muy reconfortante en invierno y además es muy fácil de hacer. A los niños también les encanta. La cantidad de arroz te parecerá insuficiente al principio, pero no eches más. Sírvelo con crème fraîche para que esté aún más cremoso.

Tiempo de preparación: 5 minutos
Tiempo de cocción: 2 horas
Raciones: 4

Contiene proteína, fibra, vitaminas B_2 y B_{12}, D, E y K, calcio y fósforo

25 g de mantequilla ecológica fría y un poco más para engrasar la fuente
1 litro de leche entera ecológica
100 g de arroz redondo
½ cucharadita de esencia de vainilla
3 cucharadas de azúcar glas
Un puñado de pasas sin pepitas
1 nuez moscada
2 cucharadas de almendras fileteadas

• Precalentar el horno a 150 °C. Untar con mantequilla una fuente honda para el horno y colocar el arroz en ella.
• Calentar la leche hasta que esté a punto de hervir y verterla sobre el arroz. Agregar la esencia de vainilla, el azúcar y las pasas.
• Distribuir por encima bolitas de mantequilla y nuez moscada rallada.
• Meter la fuente en el horno, sin taparla, durante 2 horas o hasta que el arroz adquiera un color dorado por encima.
• Hacia el final de la cocción, tostar las almendras en una sartén hasta que estén doradas y esparcirlas por encima de cada porción al servir.

DELICIAS DE PRIMAVERA

SALSA DE HABAS

Se trata de una deliciosa salsa de color verde. Utiliza las habas que estén más tiernas, con piel y todo. A comienzos de primavera solo tendrás que pasarlas por agua. Hacia el final deberás cocinarlas un poco más. Sírvelas con pan de pita o de hogaza plana y crudités.

Tiempo de preparación: 15 minutos
Tiempo de cocción: 20 minutos
Raciones: 2

Contiene fibra, proteína, ácido fólico, calcio y hierro

300 g de habas peladas
2 cabezas de ajo, picadas
4 cebolletas, picadas
½ cucharadita de comino molido
1 cucharada de crème fraîche
El zumo de ½ limón
Sal marina y pimienta negra molida
Eneldo, para decorar

• Escaldar las habas en un poco de agua hasta que estén blandas; escurrirlas y reservar el agua.
• Una vez frías, pelar las habas y desechar la piel.
• Poner las habas en una batidora junto al ajo, las cebolletas, el comino y la crème fraîche; batir hasta que quede una crema suave.
• Añadir zumo de limón y salpimentar al gusto. Si la salsa queda demasiado espesa, añadir un poco del agua de la cocción.
• Servir la salsa decorada con el eneldo.

CREMA DE BRÓCOLI

Toma esta crema regularmente durante el embarazo y la lactancia para que tu bebé se vaya acostumbrando al amargor del brócoli. De este modo, tu hijo reconocerá su sabor cuando le empieces a dar comida sólida.

Tiempo de preparación: 5 minutos
Tiempo de cocción: 15 minutos
Raciones: 2

Contiene fibra, betacaroteno, vitaminas C, E y K, ácido fólico, potasio, manganeso y calcio

1 cucharada de aceite de oliva
1 cebolla de tamaño medio, picada
1 cabeza de brócoli (calabrés) de unos 300 g
600 ml de caldo de verdura
Pimienta negra molida
2 cucharadas de yogur griego

• En una olla, rehogar la cebolla en aceite de oliva.
• Mientras, cortar el tallo del brócoli unos 2,5 cm por debajo de la cabeza.
• Cuando la cebolla esté blanda, añadir a la olla unos 5 cm de caldo y colocar de pie la cabeza de brócoli. Verter con cuidado más caldo de modo que los cogollos sobresalgan solo un poquito. Tapar y dejar a fuego lento durante 5 o 10 minutos, o hasta que los cogollos estén blandos. No lo cuezas demasiado. Dejarlo enfriar.
• Pasar la sopa por la batidora. Agregar más caldo si la crema parece espesa o tiene grumos.
• Volver a calentar y sazonar con un poco de pimienta negra. Poner un copo de yogur griego en cada plato antes de servir.

FRITTATA DE GUISANTES

Prepara esta tortilla dulce de inspiración italiana si te sobran guisantes frescos. Los guisantes son la fuente más rica de vitamina B_1 y parecen estimular el sueño, el apetito y la alegría. Acompáñala con una ensalada de hojas verdes o de tomate.

Tiempo de preparación: 10 minutos
Tiempo de cocción: 15-20 minutos
Raciones: 2-3

Contiene proteína, vitaminas B, C y K, selenio, manganeso, colina y ácido fólico

2 cucharadas de aceite de oliva
2 cucharadas de hojas de menta fresca, cortada en tiras
200 g de guisantes frescos desvainados
3 huevos grandes de granja
25 g de parmesano rallado
Sal y pimienta negra molida

• Precalentar el gratinador del horno a temperatura media. Calentar el aceite de oliva en una sartén de fondo grueso que se pueda meter al horno.
• Saltear la menta y los guisantes sin dejar de remover hasta que estén en su punto (de 3 a 5 minutos).
• Batir los huevos con el queso parmesano y añadir la mezcla a los guisantes, inclinando la sartén para que quede bien distribuido.
• Dejar en el fuego entre 5 y 10 minutos (la tortilla debe estar cuajada por los lados, pero no en el centro).
• Gratinarla hasta que quede dorada (pero no tostada ni crujiente), unos 3 minutos.
• Separar la frittata de la sartén con ayuda de un cuchillo o una espátula, colocar un plato encima y darle la vuelta.
• Dejarla enfriar, cortarla y servirla.

PAN DE MASA MADRE

Amasar pan es una actividad muy tranquilizadora y relajante si estás estresada o preocupada por las muchas inquietudes que se tienen durante el embarazo. La masa madre hace que el cuerpo absorba con más facilidad los minerales de la harina. Además, con este pan salen unas tostadas riquísimas. Comienza la preparación antes de irte a la cama y deja que la masa suba durante la noche.

Tiempo de preparación: 24 horas (todo el proceso)
Tiempo de cocción: 35-40 minutos
Raciones: 1 barra grande de pan

Contiene proteína, fibra, ácido fólico, vitaminas B y lactobacilo

400 g de harina blanca ecológica
100 g de harina integral ecológica
3 cucharaditas de sal
250-300 ml (225 g de peso) de masa madre (véase página 100)
250 ml de agua hirviendo
2 cucharaditas de miel natural

- Colocar los dos tipos de harina y la sal en un recipiente grande.
- Hacer un hueco en el centro y poner la masa madre. Ir agregando harina de los lados poco a poco, añadir agua y amasar hasta obtener una masa pegajosa.
- Amasar sobre una superficie enharinada como mínimo durante 10 minutos, hasta que la masa esté mullida y suave. Ir añadiendo harina tantas veces como sea necesario para evitar que la masa se pegue.
- Colocar la masa en un recipiente untado con aceite, cubrirla con un paño de cocina y dejarla reposar durante toda la noche a temperatura ambiente, o hasta que haya doblado su tamaño (tardará el doble de tiempo si la habitación está fría).

- Renovar la masa madre alimentándola (véase página 100)
- A la mañana siguiente, o cuando la masa haya doblado su tamaño (cuanto más tarde, mejor sabor tendrá), golpear la masa para que se desinfle, devolverla al recipiente untado con aceite y volver a cubrir con el paño de cocina.
- Dejar que vuelva a doblar su tamaño (puede que necesite todo el día).
- Precalentar el horno a 200 °C con la bandeja dentro.
- Retirar la bandeja del horno, enharinarla y dar la vuelta al recipiente para que la masa caiga directamente sobre la bandeja. Hacer unos cortes sobre la superficie de la masa.
- Pulverizar el interior del horno con un poco de agua y meter rápidamente la masa de pan.
- Hornear el pan durante 15 minutos, bajar la temperatura a 180 °C y dejar el pan en el horno otros 20 o 25 minutos, o hasta que esté dorado.
- Dejarlo enfriar en una rejilla.

ENSALADA DE CABALLA AHUMADA

La temporada de la caballa comienza a finales de primavera. Este tipo de pescado azul es una de las mejores fuentes de ácidos grasos omega-3, esencial para el desarrollo del cerebro y del sistema nervioso de tu bebé. Esta es una ensalada muy fácil de hacer simplemente con los ingredientes que tengas en la nevera.

Tiempo de preparación: 10 minutos
Tiempo de cocción: 13 minutos
Raciones: 2-3

Contiene ácidos grasos omega-3, proteína, ácido fólico, vitaminas C y K y selenio

675 g de patatas con piel (enteras o por la mitad si son muy grandes)
1 caballa ahumada entera o 2 filetes
125 g de tomates cherry, cortados por la mitad
½ pimiento amarillo, cortado en trozos
½ pimiento rojo, cortado en trozos
½ manojo de cebolletas, picadas (incluyendo la parte verde)
1 manojo de espárragos o 100 g de brócoli morado
2 cucharaditas de vinagre balsámico
3 cucharadas de aceite de oliva virgen extra
½ limón
1 cucharadita de mostaza de Dijon
1 cucharadita de miel
Sal y pimienta negra molida, al gusto

- Llevar las patatas a ebullición y dejar a fuego lento hasta que estén tiernas (unos 10 minutos). Mientras, cortar el pescado en trocitos y colocarlo en un recipiente junto a los tomates, los pimientos y las cebolletas.
- Retirar las patatas, del agua de cocción y volver a llevarla a ebullición. Agregar las patatas a la caballa y las verduras.
- Cortar los espárragos (o, en su defecto, el brócoli morado) y cocerlos en el agua hirviendo unos 2 o 3 minutos.
- Escurrirlos y ponerlos en el recipiente con los otros ingredientes.
- Mezclar aparte el vinagre balsámico, el aceite, el zumo de limón, la mostaza, la miel, la sal y la pimienta, y verter la salsa encima de la ensalada mezclando bien. Servir de inmediato.

RISOTTO CON ESPÁRRAGOS Y PARMESANO

El acto de remover un risotto puede ser muy relajante. Aprovecha estos momentos para desconectar y pensar en tu bebé. El arroz integral tarda 40 minutos en cocinarse después de agregar el caldo. Si se te acaba el caldo y el arroz todavía está duro, añade agua hirviendo.

Tiempo de preparación: 5 minutos
Tiempo de cocción: 30-40 minutos
Raciones: 2

Contiene fibra, proteína, vitaminas C, E y K, betacaroteno, vitaminas B, ácido fólico, hierro, fósforo, potasio, cobre, manganeso y selenio

1 manojo de espárragos
800 ml de caldo de pollo
3 cucharadas de aceite de oliva
1 cebolla pequeña, cortada muy fina
300 g de arroz para risotto (carnaroli o arborio)
125 ml de vino blanco
Sal marina y pimienta negra molida, al gusto
50 g de mantequilla
75 g de parmesano rallado
1 limón

• Tras quitarles la parte dura del tallo, cortar los espárragos en trozos de 1 cm y dejar las puntas intactas (reservarlas).
• Llevar el caldo a ebullición y mantenerlo a fuego bajo.
• Rehogar la cebolla y añadir el arroz y los trozos de espárrago, sin dejar de remover hasta que el arroz adquiera un color dorado; verter el vino, que crepitará (no te preocupes, es el alcohol evaporándose).
• Remover hasta que el vino se haya evaporado, añadir un cucharón de caldo y bajar el fuego.
• Una vez que el arroz haya absorbido el primer cucharón de caldo, añadir otro. Repetir la operación sin dejar de remover durante 20 o 30 minutos. Esperar a añadir más caldo hasta que al clavar la cuchara en el arroz quede un hueco en forma de media luna. Tal vez no se necesite todo el caldo.
• Agregar las puntas de los espárragos después de haber añadido la mitad del caldo.
• Apagar el fuego cuando el arroz esté cremoso pero todavía un poco duro y comprobar si necesita más sal y pimienta. Añadir la mantequilla y el parmesano, cubrir y dejar reposar mientras absorbe los sabores.
• Servir el risotto con un buen chorro de zumo de limón.

CONEJO A LA CAZUELA

Mucho más nutritiva que un pollo de supermercado, la carne de conejo es una de las más saludables durante el embarazo.

Tiempo de preparación: 15 minutos
Tiempo de cocción: 1 hora 40 minutos
Raciones: 2-3

Contiene ácidos grasos omega-3, proteína, ácido fólico, vitaminas C y K, y selenio

Harina integral sazonada, para rebozar
1 conejo, cortado en trozos
2-4 cucharadas de aceite de oliva
2 cebollas grandes, cortadas en trozos
4 ramas de apio, cortadas en trozos
2 zanahorias grandes, cortadas en trozos
4 hojas de laurel
500 ml de caldo de pollo
25 g de boletus secos
Sal marina y pimienta negra molida, al gusto
1 cucharada de cebollino, picado

• Precalentar el horno a 150 ºC.
• Rebozar los trozos de conejo en harina. Calentar el aceite en una sartén y freírlos por ambos lados. Colocar los trozos fritos en una cazuela para el horno.
• Freír la cebolla hasta que esté tierna, pero no dorada. Volcarla en la cacerola junto a los trozos de hortalizas y las hojas de laurel.
• Verter por encima el caldo de pollo, agregar los boletus, salpimentar al gusto y añadir agua hirviendo, si fuera necesario, para cubrir la carne.
• Llevarlo a ebullición a fuego bajo, colocar la tapa y meter en el horno durante una hora y media, o hasta que la carne esté tierna (el conejo de campo tardará más que el de granja).
• Espolvorear con cebollino y servir con puré de patatas y espinacas hervidas o fritas.

FILETE A LA PIMIENTA

Durante el embarazo suele apetecer un buen filete, y esta es una manera deliciosa de cocinarlo. Se puede preparar el bistec con varias horas de antelación. Si en estos momentos no te sienta bien el picante, pon menos cantidad de granos de pimienta.

Tiempo de preparación: 10 minutos
Tiempo de cocción: 13 minutos
Raciones: 2-3

Contiene proteína, vitamina B$_{12}$, hierro, zinc y selenio

1 cucharada de granos de pimienta, machacados
2 cucharadas de aceite de oliva
2 dientes de ajo grandes, machacados
2 filetes de solomillos
150 ml de crème fraîche
1 cucharadita de estragón
½ cucharadita de mostaza en polvo
2 cucharadas de brandy
Sal

• Colocar los granos de pimienta en un plato con el aceite de oliva y el ajo; remover bien.
• Aplastar los filetes con un mazo para carne o con un rodillo y colocarlos uno al lado del otro en el plato. Darles la vuelta para que queden bien recubiertos de la mezcla. Taparlos y meterlos en la nevera por lo menos durante 1 hora.
• Mezclar la crème fraîche, el polvo de mostaza y el estragón en un bol.
• Poner al fuego una sartén, y cuando esté muy caliente añadir los filetes y freírlos 1 minuto por cada lado.
• Bajar el fuego y dejar los filetes otros 5 minutos (para que estén bien hechos), dándoles la vuelta de vez en cuando. Dejarlos en un plato para que reposen.
• Agregar el brandy a la sartén y dejar que burbujee y se reduzca (esto hará evaporarse el alcohol). Añadir la crème fraîche y remover para que se mezcle con el brandy y el aceite de freír

los filetes. Dejar que se espese ligeramente. Probar y añadir un poco de sal si fuera necesario.
• Extender la salsa por encima de los filetes y servirlos con una ensalada de berros y patatas fritas o hervidas.

CREMA DE LIMÓN

Con todos los beneficios del limón y los huevos, esta crema es perfecta para rellenar una tarta, y también queda deliciosa con una tostada. Necesitarás botes de cristal con tapa, esterilizados y todavía calientes del lavavajillas o del horno, y papel sulfurizado.

Tiempo de preparación: 40 minutos
Tiempo de cocción: 15 minutos
Raciones: 2 tarros

Contiene proteína, vitaminas B, ácido fólico, potasio, colina y vitamina C

4 limones ecológicos sin encerar
4 huevos
200 g de azúcar glas
125 g de mantequilla sin sal

• Dejar los limones en un lugar caliente durante 30 minutos. Hacerlos girar con la palma de la mano en la encimera para obtener el máximo de zumo.
• Rallar las cáscaras y exprimir los limones.
• Batir los huevos con el azúcar. Derretir la mantequilla en un cazo a fuego lento y añadir la mezcla anterior; agregar la ralladura y el zumo de los limones. Seguir batiendo hasta que la mezcla espese (unos 8 o 10 minutos). Retirar la mezcla del fuego y verterla en los tarros de cristal calientes. Cubrir la crema con un disco de papel sulfurizado y tapar los tarros.
• Guardarlos en la nevera una vez que se hayan enfriado.

RIQUEZAS DEL VERANO

MUESLI

Comienza bien el día tomando este abundante muesli con yogur y fruta fresca por encima. La combinación de avena, frutos secos y semillas te ayudará a estar tranquila y alerta. Si sufres estreñimiento, deja en remojo un puñado de ciruelas secas la noche anterior y agrégalas al muesli por la mañana con un poquito del agua del remojo.

Tiempo de preparación: 15 minutos
Tiempo de cocción: no requiere cocción
Raciones: tendrás para 2 semanas

Contiene proteína, fibra, manganeso, magnesio, selenio, vitaminas B y E, ácido fólico y ácidos grasos omega-3

500 g de avena orgánica
100 g de nueces troceadas
100 g de almendras fileteadas
100 g de semillas de calabaza
100 g de semillas de girasol
25 g de piñones
25 g de semillas de sésamo

• Poner la avena en un tarro grande con tapa hermética y añadir frutos secos y semillas al gusto, removiendo para que se mezclen bien.
• Tapar el tarro y guardarlo en un lugar fresco y oscuro.
• Cada mañana, poner 3 o 4 cucharadas de la mezcla en un bol y verter por encima leche semidesnatada orgánica y 1 o 2 cucharadas de yogur natural ecológico.
• Dejar remojar durante 5 minutos antes de añadir más leche, si fuera necesario.
• Añadir fruta madura o trozos de melón.

ENSALADA DE ALUBIAS

Prepara esta sencilla ensalada un poco antes de servirla: cuanto más tiempo se asienten los aromáticos jugos, más sabrosa estará. Para ir más rápido, utiliza alubias precocinadas y en conserva. Con estas cantidades salen varias raciones, que van bien para llevar en la fiambrera; guárdalas en la nevera.

Tiempo de preparación: 10 minutos
Tiempo de cocción: no requiere cocción
Raciones: 4

Contiene fibra, proteína, vitaminas C, A y K, potasio, manganeso y ácido fólico

1 bote de 400 g de alubias rojas
1 lata de 400 g de alubias borlotti
1 lata de 400 g de alubias blancas
1 pimiento rojo, cortado en trozos
1 pimiento amarillo, cortado en trozos
1 cebolla roja pequeña, picada
4 ramas de apio, picadas
250 g de tomates cherry, cortados por la mitad
1 cucharada de perejil picado
El zumo de 1 limón
1-2 cucharadas de aceite de oliva virgen extra
Sal marina y pimienta molida, al gusto

• Escurrir las alubias, enjuagarlas y echarlas a un recipiente.
• Agregar el pimiento en dados, la cebolla, el apio y los tomates cortados por la mitad.
• Remover con cuidado y añadir el perejil.
• Sazonar con el zumo de limón y el aceite de oliva y remover bien.

HUMMUS

El hummus casero es mucho más sabroso y barato que el que se pueda comprar en una tienda. Si utilizas garbanzos secos, te quedará mucho más gustoso. Sírvelo con pan de pita y crudités.

Tiempo de preparación: Una noche de remojo y 2 horas de cocción
Tiempo de cocción: 10 minutos
Raciones: 8 abundantes

Contiene fibra, proteína, hierro, vitamina C, cobre, ácido fólico y manganeso

500 g de garbanzos secos
150 g de tahini
6 dientes de ajo, o al gusto, picados
2 cucharaditas de comino molido
2 cucharaditas de cilantro molido
1 cucharadita de pimentón dulce
La ralladura y el zumo de 2 limones grandes ecológicos y sin encerar
4 cucharadas de aceite de oliva virgen extra
Sal y pimienta negra molida, para sazonar

• Dejar los garbanzos en remojo durante toda la noche en mucha agua.
• Ponerlos en una olla con agua limpia y llevar a ebullición; dejarlos a fuego lento durante 2 horas. No salar el agua y retirar la espuma según vaya apareciendo. Escurrir los garbanzos cuando estén blandos; reservar el agua de cocción.
• Triturar los garbanzos junto al resto de ingredientes y 120 ml del agua de cocción. Añadir más agua si el hummus quedara demasiado seco.
• Sazonar al gusto, con un poco más de zumo de limón, aceite de oliva o pimentón si fuera necesario, y triturar de nuevo.

GAZPACHO DE AGUACATE

Añadir aguacates a esta refrescante sopa aumenta la cantidad de proteínas de uno de los platos básicos del verano. Prepáralo con los ingredientes más frescos y maduros que encuentres.

Tiempo de preparación: 40 minutos
Tiempo de cocción: no requiere cocción
Raciones: 2-3

Contiene vitaminas C y K, betacaroteno, potasio, manganeso y ácido fólico

50 g de pan duro
2 dientes de ajo, picados
2 cucharaditas de sal
6 tomates maduros grandes troceados
½ cebolla troceada
½ pepino troceado
½ pimiento verde, sin semillas y troceado
2 aguacates muy maduros
2 cucharadas de aceite de oliva
1 cucharada de vinagre de vino blanco
Zumo de ½ limón

Para decorar:
1 huevo duro, picado
½ pimiento verde, sin semillas y picado
2 cebolletas, picadas

• Remojar el pan duro en agua durante 30 minutos hasta que esté blando, y escurrirlo.
• Triturar el ajo, la sal, los tomates, la cebolla, el pepino, el pimiento y la carne de los aguacates, hasta obtener una textura grumosa.
• Añadir gradualmente el aceite de oliva, el vinagre y el zumo de limón sin dejar de triturar. Agregar agua hasta alcanzar la consistencia de una sopa.
• Enfriar añadiendo cubitos de hielo y decorar con el huevo, el pimiento verde y las cebolletas.

TORTILLA DE PATATAS

Este plato sabe mucho mejor cuando se come a temperatura ambiente y, además de ser un ligero almuerzo, es perfecto para llevar en la fiambrera o ir de picnic. Acompáñalo con aceitunas, judías verdes y una crujiente ensalada.

Tiempo de preparación: 10 minutos
Tiempo de cocción: 30-40 minutos
Raciones: 4

Contiene vitaminas C y K, betacaroteno, potasio, manganeso y ácido fólico

4 patatas grandes
200 ml de aceite de oliva
1 cebolla mediana, en rodajas
6 huevos
Sal marina

• Cortar las patatas en rodajas, lavarlas y secarlas dándoles unos golpecitos.
• Calentar bien el aceite y freír las patatas y la cebolla a fuego medio durante 15 minutos, o hasta que las patatas estén hechas pero duras (no dejar que se doren). Escurrirlo todo en un colador y reservar el aceite.
• Mientras se fríen las patatas, batir los huevos con sal en un recipiente grande. Cuando estén listas, añadir las patatas y las cebolla fritas. Dejarlo reposar durante 10 minutos.
• Poner 2 cucharadas del aceite reservado en una sartén a fuego medio; cuando esté bien caliente, agregar la mezcla anterior sin dejar que se pegue al fondo. Cocinar hasta que la base haya cuajado pero la parte de encima todavía esté algo líquida (5 o 10 minutos como máximo).
• Darle la vuelta a la tortilla y cuajarla por el otro lado.

SALSA DE TOMATE

Esta salsa saldrá mejor con tomates frescos y maduros, pero los enlatados o en conserva la enriquecerán si tu cosecha casera no es del todo satisfactoria. Sírvela con pasta y queso parmesano, con pescado al horno o con albóndigas. Congela lo que te sobre para disponer de la salsa en invierno.

Tiempo de preparación: 5 minutos
Tiempo de cocción: 25-30 minutos
Raciones: 2-3

Contiene vitaminas C y K, betacaroteno, potasio, manganeso y licopeno

2 cucharadas de aceite de oliva virgen extra
4 dientes de ajo, fileteados
100 g de tomates en conserva (véase página 41)
1 lata de 400 g de tomates pera enteros
1 cucharadita de orégano
250 g de tomates frescos, maduros troceados
Sal marina y pimienta negra molida, para sazonar

• Calentar el aceite en una sartén a fuego medio y freír el ajo sin dorarlo, añadir los tomates en conserva y remover hasta que estén calientes.
• Estrujar los tomates en lata con la mano (dejar caer el jugo en la lata) y añadirlos a la sartén con el orégano. Cocinar a fuego bajo hasta reducir y espesar la salsa (unos 15 minutos).
• Añadir los tomates frescos y dejar a fuego bajo hasta que estén blanditos (unos 10 minutos). Agregar parte del jugo de la lata si la salsa se seca demasiado.
• Sazonar la salsa al gusto y servirla con cualquier tipo de pasta.

CALDO DE POLLO

Haz el caldo con los restos de un pollo al horno y utilízalo como base para cremas y risottos. Si quieres preparar una sopa sencilla y rápida, cuela el caldo, añádele arroz cocido y granos de maíz, vuelve a calentarlo y agrégale un poco del pollo reservado.

Tiempo de preparación: 10 minutos
Tiempo de cocción: 2 ½ horas
Raciones: 2 litros

Contiene proteína, vitaminas B

La carcasa de un pollo al horno
4 dientes de ajo
2 ramas de apio, en trozos
1 zanahoria grande ecológica,
en trozos
1 puerro, en trozos
1 cebolla, cortada por la mitad
1 cucharadita de granos de pimienta
2 hojas de laurel
2 ramitas de tomillo
2 ramitas de romero

• Separar la carne que quede en la carcasa del pollo y reservarla para hacer sopa, sándwiches o sofritos.
• Colocar la carcasa del pollo, y lo que quede de piel, en una olla con agua fría (se puede agregar el agua de haber hervido alguna verdura); se necesitarán unos 3 litros de agua.
• Añadir el ajo, el apio, la zanahoria, el puerro, la cebolla, los granos de pimienta y las hierbas.
• Llevar a ebullición y dejar a fuego lento tanto tiempo como se pueda: 90 minutos como mínimo y hasta 2 horas como máximo. Retirar la espuma a medida que suba a la superficie. Cuanto más tiempo cueza, más rico saldrá.
• Colar y desechar los huesos y las verduras, y verter a un recipiente. Dejar enfriar y guardar en la nevera.
• Una vez que haya adquirido una textura gelatinosa, dividir en porciones y congelar.

PASTEL DE PESCADO

Al contener salmón y anchoas, este pastel aporta todos los beneficios de los ácidos grasos omega-3, tan importantes para el desarrollo del cerebro y el sistema nervioso de tu bebé. Acompáñalo con guisantes, judías verdes o espinacas.

Tiempo de preparación: 10 minutos
Tiempo de cocción: 1 hora
Raciones: 4

Contiene proteína, calcio, ácidos grasos omega-3, vitaminas D y B, betacaroteno, magnesio, selenio, yodo, fósforo y colina

1 kg de patatas harinosas
Mantequilla, para cubrir
2 huevos
400 g de filetes de salmón
300 g de filetes de abadejo ahumado
2 hojas de laurel
1 zanahoria de tamaño medio,
en rodajas muy finas
1 rama de apio, troceado
1 cebolla pequeña, pelada
y tachonada con 6 clavos
500 ml de leche ecológica
100 g de gambas peladas
y descongeladas
10 anchoas en conserva, troceadas
2 cucharadas de aceite de oliva
Sal marina y pimienta negra molida,
al gusto
100 g de queso rallado
2 cucharadas de crème fraîche
2 cucharaditas de mostaza de Dijon
La cáscara de 1 limón

• Cortar las patatas en cuatro trozos (u ocho si son muy grandes) y cocerlas a fuego lento en una olla con agua salada hasta que estén bien tiernas: (unos 10 minutos). Escurrirlas.
• Volver a poner las patatas en la olla con una cucharada generosa de mantequilla. Tapar la olla.
• Mientras tanto, cocer los huevos hasta que estén duros (unos 7 minutos) y dejarlos en agua para que se enfríen.

- Colocar el pescado en una cacerola con las hojas de laurel, los trozos de zanahoria, el apio y la cebolla con los clavos; cubrirlo con 400 ml de leche. Llevarlo a ebullición y dejarlo al fuego hasta que esté bien hecho (unos 2 o 3 minutos).
- Retirar el pescado con una espumadera, dejando las zanahorias y el apio en la leche, y pasarlo a una fuente para el horno. Tirar la piel y las espinas. Reservar la leche y la cebolla.
- Pelar los huevos y cortarlos a cuartos. Distribuirlos regularmente en la fuente del pescado, junto a las gambas y los trozos de anchoa.
- Chafar las patatas con el aceite de oliva y un poco de la leche restante hasta conseguir un puré esponjoso; sazonar al gusto.
- Precalentar el horno a 180 °C.
- Mezclar casi todo el queso, la crème fraîche, la mostaza y la cáscara de limón con la leche reservada y llevarla a ebullición; remover el líquido hasta que se reduzca un poco y verterlo sobre el pescado en la fuente para el horno (descartar la cebolla).
- Extender el puré de patata por encima, espolvorear con el resto del queso rallado y hornear durante 25 o 30 minutos, hasta que burbujee y quede dorado por arriba.

PUDIN DE VERANO

Se trata de un pudin muy sabroso y fácil de hacer. Escoge la fruta silvestre o que tengas en el jardín según vaya madurando a lo largo del verano. Sírvelo acompañado de yogur griego.

Tiempo de preparación: una noche
Tiempo de cocción: 10 minutos
Raciones: 4-6

Contiene fibra, vitaminas C y K, manganeso y potasio

Mantequilla, para engrasar
1 barra de pan duro cortado en rebanadas grandes, sin corteza
800 g de bayas: moras, arándanos, frambuesas, grosellas rojas o negras o ciruelas sin hueso
60-150 g de azúcar glas (según el gusto y la acidez de la fruta)

- Untar un molde de pudin grande (1 litro) con mantequilla y forrarlo con las rebanadas de pan, vigilando que no queden agujeros entre ellas. Reservar pan suficiente para la parte de arriba.
- Limpiar la fruta y ponerla en una cacerola grande. Llevarla a ebullición a fuego lento con 1 o 2 cucharadas de agua, dejarla cocer despacio hasta que se deshaga la fruta (menos de 5 minutos).
- Probar y añadir azúcar al gusto (el pudin tiene que ser ligeramente ácido).
- Verter la fruta caliente con su jugo en el molde; conviene llenar el molde casi hasta el borde.
- Cubrir la fruta con pan y colocar encima un plato pequeño que quepa bien dentro del molde. Colocar algún peso encima del plato, dejar enfriar y meter en la nevera durante toda la noche.
- Cuando esté listo, retirar el peso, despegar el pudin del molde con un cuchillo y darle la vuelta sobre un plato. Si quedasen parches de pan blanco, untarlos con zumo.
- Cortar el pudin en trozos grandes y servirlos con nata, crème fraîche o yogur griego.

El embarazo es una buena excusa para cuidarte un poquito más, ya sea no saltándote el desayuno o no trabajando tanto en el huerto. Busca tiempo para relajarte con los pies en alto leyendo este libro u hojeando un catálogo de semillas. No obstante, si se quieren comprar y cultivar los mejores alimentos, no podrás evitar hacer algún esfuerzo, como cargar peso y cavar un poquito. Aquí te damos consejos para que cuides tanto tu salud como la del bebé.

BEBIDAS Y COMIDAS SEGURAS

Cuando trabajas en el huerto o simplemente sigues tu rutina diaria, es importante que te mantengas hidratada. El consumo adecuado de líquidos es fundamental durante el embarazo para ayudar a que el volumen de la sangre aumente y suministre nutrientes a tu bebé. Además, como la temperatura de tu cuerpo ahora es más alta, es más fácil acabar deshidratada. Proponte beber al menos ocho vasos de 225 ml de líquido al día, la mayor parte de agua. La leche y los zumos de fruta o verduras también son buenos, pero ten cuidado con las infusiones, las bebidas con cafeína y el alcohol.

LÍQUIDOS QUE DEBES EVITAR

Se ha demostrado que consumir grandes cantidades de cafeína puede incrementar el riesgo de sufrir un aborto. Puede interferir con la absorción del ácido fólico y del hierro, y puede producir dolores de cabeza e insomnio. No tomes más de 200 mg de cafeína al día (1-2 tazas de café, 2 tazas de té, 5 latas de cola o 2 bebidas energéticas con cafeína).

El té verde reduce los niveles de ácido fólico en el cuerpo, y contiene ácido oxálico, que restringe la absorción de hierro y calcio. Evítalo antes de quedarte embarazada y durante el primer trimestre.

La mayoría de los expertos están de acuerdo en que lo mejor es no beber nada de alcohol durante el embarazo. Sin embargo, en ocasiones especiales, puedes tomar un vaso de vino o de cerveza, pero no más de una o dos veces por semana.

Hay mucha controversia sobre el consumo de infusiones durante el embarazo. Los herbolarios las valoran por sus propiedades

TEN CUIDADO

Evita tomar las siguientes hierbas de uso común en infusiones: ginseng, salvia, romero, manzanilla, hibisco, hierba luisa, perejil, valeriana, hinojo y regaliz.

Consulta a un herbolario especializado en embarazos antes de tomar cualquier hierba medicinal.

medicinales, pero muchas de las hierbas que se utilizan para hacer infusiones son estimulantes uterinos. Si no quieres prescindir de ellas, no tomes más de dos tazas al día y cambia de tipo: la mayoría de los médicos consideran seguros el té de jengibre, el de escaramujo, la tila y el poleo menta. No uses hierbas de tu jardín, sino bolsitas de marcas acreditadas.

COMIDAS PROBLEMÁTICAS

Debido al riesgo de que el pescado azul contenga toxinas teratogénicas (perjudiciales para el feto), como el mercurio de PCB (policlorinato de bifenilo), no se recomienda comer más de dos raciones a la semana durante el embarazo y la lactancia o cuando se está intentando quedar embarazada. Come pescado variado —caballa, sardinas, salmón, trucha, besugo, róbalo, rodaballo, mero, cazón— y evita los pescados grandes como el tiburón y el pez espada, que es más probable que estén contaminados. No comas más de dos filetes de atún, o cuatro latas, a la semana.

No comas pescado ni marisco crudo, que pueden contener bacterias como la salmonela. Cocinarlos a más de 63 ºC destruye las bacterias. Los huevos crudos o poco hechos también pueden estar contaminados con salmonela. Aunque es poco probable que afecte a tu bebé, la salmonela puede provocarte una grave intoxicación.

La carne poco hecha y los embutidos pueden estar infectados con toxoplasma, el parásito causante de la toxoplasmosis, que puede afectar al desarrollo del cerebro y los ojos del bebé. Vigila que toda la carne que comes esté muy hecha.

Los patés no pasteurizados, los quesos «crudos» como el brie o el camembert y los quesos de cabra madurados en el molde pueden contener listeria, una bacteria que podría —aunque es raro—, provocar un aborto o parto prematuro.

NUTRIENTES POCO APROPIADOS

Demasiado retinol puede dañar al feto y aumentar el riesgo de que nazca con algún defecto congénito. Por este motivo, evita comer hígado o paté de hígado durante el embarazo, rico en retinol. Por la misma razón, evita los suplementos de omega-3 y las pastillas que contengan vitamina A.

Un estudio realizado en 2009 relacionaba una gran ingesta de vitamina E con un mayor riesgo de que el bebé naciera con algún defecto congénito en el corazón. Sin embargo, no hay recomendación alguna sobre la cantidad adecuada durante el embarazo.

La dieta occidental aporta una proporción poco saludable de ácidos grasos omega-6 y omega-3. Para aumentar el efecto de los ácidos grasos omega-3 en tu dieta (véase página 11), intenta no comer demasiados alimentos ricos en omega-6: cualquier cosa que contenga aceite de girasol, de soja, de maíz o de colza.

PROTÉGETE

Utiliza guantes de goma cuando trabajes en el huerto para no tocar los productos químicos que pueda haber en la tierra, ni excrementos de gato u otros animales que pueden estar infectados con toxoplasmosis. Si lo prefieres, ponte unos guantes quirúrgicos de látex debajo de tus guantes de jardinería de algodón. Poda las plantas tan pronto como

te sea posible, y lávate muy bien las manos después de trabajar en el jardín y antes de tocar la comida.

Debido a la acción de las hormonas del embarazo, tu piel es más sensible al sol, así que no olvides ponerte protector solar y un sombrero cuando trabajes al aire libre.

PRODUCTOS ECOLÓGICOS

Es importante no exponerse a los pesticidas durante el embarazo, sobre todo durante el primer trimestre, cuando se corre el riesgo de dañar el desarrollo del sistema nervioso del bebé. Esto significa evitar todo aquello que utilices generalmente para matar insectos y malas hierbas.

Es el momento de volverse tolerante con las malas hierbas y de utilizar los antiguos métodos disuasorios, como esparcir café molido alrededor de los plantones, poner jarras de cerveza dentro de la tierra para atrapar a los gusanos y pulverizar con una solución jabonosa para las plagas de pulgones.

Si estás construyendo un bancal elevado, escoge maderas duras que no necesiten tratamiento, o las ecológicas tratadas con bórax o linaza. Evita maderas viejas tratadas con creosota.

LEVANTAR Y CARGAR PESO DE FORMA SEGURA

Durante el embarazo, los ligamentos y tendones que unen las articulaciones se vuelven más elásticos –¡para ayudarte a parir el bebé!–, por lo que debes tener cuidado al hacer algún esfuerzo. Además, tendrás menos equilibrio y te resultará más fácil lastimarte los tejidos blandos. También está el inconveniente de la barriga, que desplaza tu centro de gravedad. Esto puede representar un verdadero problema a la hora de levantar y cargar cosas, ya sea al hacer la compra o en el jardín.

La clave para levantar algo con seguridad es utilizar los músculos de las piernas en vez de los de la espalda y el abdomen y moverte despacio.

1 Sitúate frente al objeto que desees levantar con los pies separados a la altura de las caderas, mirando hacia delante.

2 Suelta el aire, echa hacia atrás los músculos abdominales para que aguanten la columna vertebral, dobla las rodillas y ponte en cuclillas. Es un ejercicio fantástico para fortalecer las piernas de cara al parto. Alarga las manos y coge el objeto sin encorvar la espalda ni los hombros. Agárralo bien y acércatelo al pecho.

3 Eleva los músculos del suelo pélvico, toma aire y haz fuerza sobre los talones para estirar las piernas. Intenta mantener la espalda recta y el objeto bien sujeto cerca del cuerpo.

4 Antes de cargar un peso, vigila que no haya obstáculos en el camino. Luego mantén el objeto cerca del cuerpo. Para bajarlo, sitúate enfrente del nuevo espacio, en vez de girarte o retorcerte, y agáchate como antes. Asegúrate de que la carga esté bien firme en el sitio antes de soltarla.

Vuelve a hacer fuerza sobre los talones para ponerte de pie.

Durante el embarazo no cargues más de 5,5 kilos y reduce el peso a 2 kilos durante el tercer trimestre. Por lo tanto, estás limitada a cargar bolsas pequeñas de abono y tienes prohibido mover macetas grandes, sacos de mantillo ni carretillas. Agáchate siempre para levantar algo a partir del segundo trimestre, para evitar los mareos.

Antes de levantar o cargar alguna cosa, calienta los músculos: esto reduce en casi un tercio el riesgo de lesiones. Es particularmente importante calentar si solo te dedicas al huerto el fin de semana y eres sedentaria el resto de la semana.

EL EQUIPO ADECUADO

Tener una pala o una horca ligera y de tu talla reducirá el esfuerzo que tengas que hacer al cavar.

PALAS Y HORCAS

Aunque las palas y las horcas cortas son más manejables, tal vez te será más práctico trabajar con una de mango largo para no tener que encorvarte. El mango tiene que llegarte hasta la cintura cuando estés de pie. Si eres bajita, puede que te encuentres más cómoda con una pala u horca más pequeña; también van mejor para trabajar en espacios reducidos (por ejemplo, entre las filas de hortalizas).

Si no puedes levantar la pala vacía sin aguantar la respiración, lo pasarás mal en el huerto, así que busca una que sea ligera y de buena calidad.

Aunque son más caras, las que tienen la cabeza de acero inoxidable requieren menos mantenimiento: la tierra no se pega en la pala, por lo que no tendrás que doblarte para limpiarla.

El mango es la pieza larga de madera, metal o plástico que conecta la cabeza y la manija. Un mango grueso es más fácil de sujetar; tal vez te sea más fácil manejar las palas diseñadas específicamente para jardineros discapacitados si sufres de síndrome del túnel carpiano o se te hinchan las muñecas.

Comprueba que tus botas de jardinería caben sin problemas en la parte superior de la pala. Si prefieres que la manija tenga forma de «D», mira si te caben dentro las manos con los guantes puestos.

Una pala en punta va bien para cavar agujeros, remover la tierra y levantar plantas. Una pala más ancha con el extremo ligeramente encorvado es mejor para recoger y cargar tierra y otros materiales.

Será más eficaz para cavar un suelo duro una pala afilada que también puedes utilizarla para partir y quitar raíces y malas hierbas de la superficie (sin tener que ponerte a gatas). Por seguridad, deja que sea un experto quien te afile las herramientas, en lugar de hacerlo tú misma con un estropajo de acero o una lima.

Para aliviar el volumen de trabajo, rompe los suelos compactos o duros con una horca antes de cavar con la pala; para horticultores ecológicos,

esto tiene el beneficio añadido de proteger la vida de los gusanos. Como una horca no te permite ejercer la misma fuerza que una pala, es la herramienta más segura para preparar la tierra y desenterrar las plantas. Suele ser más fácil cavar con una horca de cuatro púas.

CARRETILLAS

Cuanto más ligera sea la carretilla, mejor. Así que si tienes una muy pesada, cámbiala por una de plástico. Si no mantienes demasiado bien el equilibrio, escoge una carretilla que tenga las ruedas grandes (las de ruedas hinchables son más fáciles de maniobrar), para aumentar el equilibrio. Para estabilizar la carga, coloca la mayor parte del peso sobre la rueda delantera, y no sobre el mango. Si en algún momento pareciera que se va a caer la carretilla, da un paso atrás y déjala caer. Es más seguro que tratar de cogerla torpemente.

En vez de intentar levantar objetos pesados con una carretilla, hazlos rodar hasta una lona. Sitúate enfrente, cógela por las cuatro esquinas y arrastra la carga.

TRABAJAR EN EL HUERTO

Una vez que hayas calentado un poco, intenta mantener un nivel de actividad entre bajo y moderado; tienes que ser capaz de hablar al mismo tiempo que haces las labores más pesadas. No dejes de respirar: es tentador aguantar el aire cuando se levanta un peso, pero necesitas que el oxígeno le llegue continuamente a tu bebé.

No intentes realizar todos los trabajos pesados en un par de horas; intenta intercalarlos con labores más ligeras, como quitar malas hierbas o cortar las flores marchitas. Realizar un trabajo de forma intensa en poco tiempo puede causar lesiones por movimientos repetitivos. Cambia de tarea cada 10 minutos, estírate bien y descansa un poco antes de continuar.

Divide el trabajo en una serie de pequeñas actividades; por ejemplo, si tienes que mover un número determinado de macetas, hazlo de una en una en lugar de coger todas de golpe, y revuelve la tierra primero.

Siempre es mucho más seguro hacer más viajes cargando menos peso: plantéatelo como si fuera una tabla de ejercicios con muchas repeticiones y poco peso. Este es el mejor modo de prepararte adecuadamente para el trabajo de parto.

Si este año no puedes cultivar nada a partir de semillas, compra plantones jóvenes: podrás tener un auténtico huerto en la cocina.

Estira bien los músculos que hayas ejercitado cuando termines de trabajar en el huerto; por ejemplo, después de podar, estira bien los brazos y dobla las muñecas hacia delante y hacia atrás.

Después de cavar (véase más adelante), estira bien los gemelos y los músculos de los muslos.

Relájate en el jardín siempre que puedas para mantener la calma. Siéntate en una mecedora o túmbate en una hamaca (bien sujeta entre dos puntos), lo echarás de menos cuando tengas al bebé y cuando comience a caminar.

CAVAR

Los jardineros chapados a la antigua tienen una fe ciega en el doble cavado, es decir, levantar dos palas de profundidad de tierra y tirarlas en dos zanjas, en vez del cavado siempre, a saber, levantar una sola palada y tirarla a la nueva zanja. Dicen que así el suelo drena mejor y adquiere mejor estructura, y se acaba con las malas hierbas.

Sin embargo, durante el embarazo es mejor no cansarse en exceso. No intentes prolongar el tiempo de trabajo ni te agotes demasiado en el jardín. Si estás acostumbrada a realizar labores de jardinería, opta por un cavado simple, o cava de la forma más sencilla posible durante los meses de embarazo: cava una pala de profundidad y vuelve a ponerla en la misma posición.

Para evitar someter tu cuerpo a un esfuerzo demasiado fuerte, céntrate en los músculos de los brazos y las piernas mientras cavas, lo que protegerá la columna y la barriga.

CÓMO HACER UN BANCAL ELEVADO

Si quieres cultivar tus propias hortalizas durante el embarazo, lo más cómodo es hacerlo en bancales elevados, donde no crecen tantas malas hierbas y te evita tener que agacharte tanto. Este sistema también es bueno para los jardines de suelo duro o que no drenen bien; y además, después de construirlos no tendrás que volver a cavar nunca más, solo tendrás que añadir una nueva capa de abono cada año.

Pídele a alguien que haga el trabajo más duro, como mover las traviesas, cavar el suelo más resistente y levantar o vaciar los sacos de abono. Una forma de hacer bancales elevados es con traviesas de tren (sin clavos), pero muchas están tratadas con conservantes para la madera, cuyo contacto no es seguro durante el embarazo y podrían filtrarse en la comida. Escoge maderas tratadas a presión.

1 Mide el tamaño del bancal. Utiliza la longitud de la traviesa como referencia, pero no lo hagas demasiado ancho para que puedas llegar al centro del mismo cómodamente. Delimita la zona con cuerdas atadas a cuatro estacas para que te queden líneas rectas. Señala las líneas con un aerosol para que no tengas que doblarte.

2 Cava el suelo vigilando no adquirir una mala postura ni pasar demasiado calor. Pídele a alguien que arranque el césped y las plantas grandes o con raíces profundas.

3 Coloca las traviesas en el lugar marcado. Asegúrate de que están en la posición que quieres antes de quedarte sin ayuda.

4 En los suelos duros, comienza rellenando el nuevo bancal con una capa de grava y arena. Añade después una mezcla de tierra vegetal y abono (por ejemplo, compost mantillo). Deja que otra persona haga el trabajo pesado. Prepara bien la tierra para poder empezar a sembrar en ella. Utiliza un reclinatorio acolchado para trabajar en el bancal y colócate mirando directamente hacia delante.

1 Colócate enfrente de la parcela que vayas a cavar con los pies separados a la altura de la cadera. Sitúa la pala en ángulo recto con el suelo, paralela a tus pies y lo más cerca de ti.

2 Pon un pie en la pala, con la espalda recta y las dos manos en el mango. Presiona con el pie.

3 Manteniendo la espalda recta, dobla los brazos y las rodillas para cargar la pala de tierra. Intenta no aguantar la respiración.

4 Desliza un brazo hasta la mitad del mango para mover la tierra. Deja salir el aire, mete hacia dentro los músculos del suelo pélvico y los músculos abdominales y levanta la carga. Con el peso cerca del cuerpo, gira sobre un pie para moverlo, con la pala frente a ti sin girar la columna vertebral. Dobla las rodillas para bajar el peso.

ÍNDICE

A

Abundancia para dar y tomar, 40
Aceite antiestrías, 77
Aceitunas, 83
Acelgas, 17
Ácido Fólico, 8
Aguacates, 82
  Fuerte, 82
  Hass, 82
Aguaturmas, 86
Ajo, 42
  fresco, 42
  morado, 42
Albaricoques, 77
  secos, 77
Algas marinas, 60
  arame, 60
  dulse, 61
  kombu, 60
  mezcla de plantas marinas, 60
  nori, 61
Alimentos del parterre, 84
Almendras, 81
Alubias, 25
Anchoas, 57
Arándanos, 45
Arroz, 97
  arborio, 98
  basmati, 98
  jazmín, 98
  salvaje negro, 98
Arroz con leche, 111
Avellanas, 52
Avena, 96
Aves de corral, 64
  conejo, 65
  ganso, 65
  pavo, 65
  pollo, 64

B

Baño contra los picores, 96
Baño de asiento curativo, 91
Batido de melón, 104
Batido de plátano, 71

Bebida energética para el parto, 46
Bistec a la pimienta, 115
Boniatos, 30
Brócoli, 14
  crema de, 112
  morado, 14

C, D

Calabaza, 28
  bellota, 28
  boneteras, 28
  de invierno, 28
  moscada, 28
Calcio, 9
Caldo de pollo, 118
Carne, 66
  de cordero, 67
  de ternera, 66
  de venado, 67
Carretillas, 123
Cebolletas, 43
Cebollinos, 43
Chirivías, 31
Cistitis, 15
Cobre, 10
Col rizada, 15
Col roja, 17
Coles de Bruselas, 15
Colina, 11
Comidas problemáticas, 121
Comidas y bebidas seguras, 120
Cómo hacer agua de lavanda, 90
Cómo hacer masa madre, 100
Cómo hacer un bancal elevado, 125
Conejo, 65
Conejo a la cazuela, 115
Cordero, 67
Cosas importantes para tu seguridad, 120
Crema de aguaturmas, 107
Crema de limón, 115
Crema de zanahorias, 104
Crema limpiadora de arroz, 98
Cromo, 10
Curry de espinacas y patatas, 110

Desmaquillador natural, 81
Diente de león, 51

E, F

Ensalada de alubias, 116
Ensalada de caballa ahumada, 113
Ensalada de col, 108
Ensalada de lentejas puy y espinacas, 105
Ensalada de remolacha, 106
Equipo de jardinería adecuado, 122
Espárragos, 27
  morados, 27
  verdes, 27
Espinacas, 17
Fibra, 11
Fitonutrientes, 11
Flor de higo, 79
Fósforo, 10
Frambuesa, 34
Fresas, 45
  salvajes, 46
Frittata de guisantes, 112

G

Gachas de avena con fruta, 104
Gallina, 69
Ganso, 65
Gazpacho de aguacate, 117
Girasoles, 87
Granadas, 78
granja, productos de, 62
Grosellas, 34
Guisantes, 23, 94

H, I, J

Habas, 24
Harina, 101
Harina integral, 99
Harina molida gruesa, 101
Hierbas no recomendadas durante el embarazo, 120
Hierro, 9

Higos 79
Hojas de mostaza, 37
huerto, las bondades del, 12
Huevos, 68
Huevos a la Florentina, 107
Hummus, 116
Jardín, trabajar en el 124
Jengibre, 33
    cómo hacer jarabe, 47
Judías verdes, 25

K, L

Lavanda, 91
Leche, 70
Lechuga, 36
    hoja de roble, 36
    romana, 36
    trocadero, 36
Legumbres, 94
Lentejas, 95
    marrones, 95
    puy, 95
    verdes, 95
Levantar y cargar peso con seguridad, 122
Limones, 44
Líquidos que debes evitar, 120
Llena tu armario de alimentos básicos, 92

M, N, O

Magnesio, 10
Manganeso, 10
Manzanas, 76
Manzanas al horno, 107
Marisco, 50
    almejas, 59
    cangrejo, 59
    gambas, 58
    gambas tigre, 58
    mejillones, 59
    vieiras, 59
Mascarilla facial para pieles secas, 89
Mejillones a la marinera, 105
Mezcla de semillas energética, 87

Miel, 88
Minerales indispensables, 9
Moras, 53
Muesli, 116
Nueces, 80
Nutrientes poco apropiados, 121
Orgánico, 121
Ortigas, 50
Ostras gratinadas, 108

P, Q

Pan de masa fermentada, 113
Pasta con col de Savoy y pimientos rojos
Pastel de frutas, 106
Pastel de pescado, 118
Patatas, 29
Peces de agua dulce y peces de agua salada, 54
Pescado, 56
Pescado azul, 56
Plantar 18
    en macetas, 18
    en cestas colgantes, 19
Pollo, 64
Potasio, 10
Productos lácteos, 70
Proteínas, 10
Pudin de verano, 119
Queso, 70

R

Recompensas del huerto, 74
Refresco para aliviar las náuseas matutinas, 35
Relajación, 85
Remolacha, 21
Repollo, 15
Risotto con espárragos y parmesano, 114

S, T

Salmón, 56
Salsa de habas, 112

Salsa de tomate, 117
Sardinas, 57
Selenio, 10
Sofrito de brócoli morado, 111
Sopa de calabaza en su cáscara, 108
Supernutrientes, 8
Té de hojas de frambuesa, 35
Té para estimular la lactancia, 50
Ternera, 66
Tirabeques, 23
Tomates, 38
    amarillos, 39
    beefsteak, 39
    cherry, 39
    conservas, 41
    de ensalada, 39
    de pera, 39
Tónico estimulante de ácido fólico, 20
Tónico para el cabello a base de algas, 60
Tortilla de patatas, 117

V, W

Venado, 67
Verduras de otoño al horno, 106
Vitamina A, 8
Vitamina B, 8
Vitamina C, 8
Vitamina D, 8
Vitamina K, 8

Y, Z

Yogur, 70
    casero, 72
Zanahorias, 32
Zinc, 10
Zumo energético púrpura, 22

AGRADECIMIENTOS

Me gustaría dar las gracias sobre todo a mi marido, Stephen Parker, el cerebro del huerto y el dueño de la cocina, por todo el tiempo que ha pasado cavando, extendiendo mantillo y obsesionado por los éxitos y los fracasos en los bancales y en los fogones.

A Ruth Cicale, muchas gracias por la masa madre y sus consejos para hacerla.

Gracias también a Georgia Sawers por el mejor hummus, y a mi suegro por su receta secreta del bistec.

Gracias, como siempre, a Amy Carroll por su tesón y estímulo, y a Chrissie Lloyd por sus diseños. También me gustaría dar las gracias a Tracy Stewart-Murray y a David Murray.

Carroll & Brown quiere agradecer:

Additional Art Direction Tracy Stewart-Murray
Home Economist Clare Lewis
IT Management John Casey

Créditos de las imágenes:
Todas las fotos © Carroll & Brown excepto las siguientes de Photolibrary.com:
p. 2, p. 12 fondo, p. 19 principal, p. 22, p. 26, p. 32, p. 35, p. 48 fondo, centro, p. 54 fondo, centro, p. 62 fondo, p. 64, p. 68 principal, p. 69, p. 74 fondo, centro, p. 86 arriba, p. 87 derecha, p. 90 principal, p. 92 centro, p. 125 derecha

Embarazo:
Gaskin, Ina May, *Spiritual Midwifery*, Book Publishing Company, 2001.
Steingraber, Sandra, *Having faith: an ecologist's journey to motherhood*, Berkley, 2001.
Weed, Susun S., *Wise woman herbal for the childbearing year*, Ash Tree Publishing, 1985

Jardinería:
Larkcom, Joy, *Grown your own vegetables*, Frances Lincoln, 2002
Pavord, Anna, *The new kitchen garden*, Dorling Kindersley, 1999
Pollan, Michael, *Second nature, a gardener's education*, Grove Press, 2003

Comida:
Caldesi, Katie, *The Italian cookery course*, Kyle Cathie, 2009
Clark, Sam, *Moro East*, Ebury, 2007
Costa, Margaret, *Four seasons cookery book*, Gub Street, 2008
Daley, Simon & Hirani, Roshan, *Cooking with my indian mother-in-law*, Pavilion, 2008
Farmhouse Fare, recipes from country housewives collected by The Farmers Weekly, Countrywise Books, 1966
Fearnley-Whittingtall, Hugh, *The river cottage meat book*, Hodder and Stoughton, 2004
Fearnley-Whittingtall, Hugh, *The river cottage fish book*, Bloomsbury, 2007
Hopkinson, Simon, *Roast chicken and other stories*, Ebury, 1994
Roden, Claudia, *A New book of Middle Eastern food*, Penguin 1986
Spencer, Colin, *Colin Spencer's Vegetable Book*, Conran Octopus, 1995